D0014214

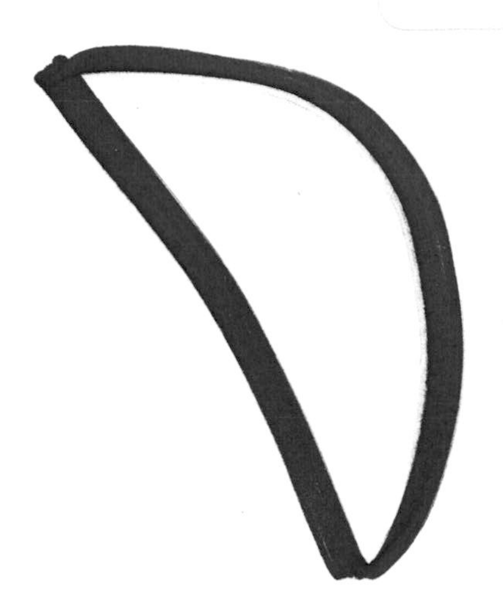

EL JUEGO DE LA CIENCIA

CIENCIA EXTRAVAGANTE

Simon Torok - Paul Holper

Ilustraciones de Stephen Axelsen

Colección dirigida por Carlo Frabetti

Título original: *Weird! Amazing Inventions & Wacky Science*
Publicado en inglés por ABC Books for the Australian Broadcasting Corporation

Traducción de Joan Carles Guix

Diseño de cubierta: Valerio Viano

Ilustración de cubierta e interiores: Stephen Axelsen

Distribución exclusiva:
Ediciones Paidós Ibérica, S.A.
Mariano Cubí 92 – 08021 Barcelona – España
Editorial Paidós, S.A.I.C.F.
Defensa 599 – 1065 Buenos Aires – Argentina
Editorial Paidós Mexicana, S.A.
Rubén Darío 118, col. Moderna – 03510 México D.F. – México

ISBN: 84-9754-163-4
Depósito legal: B-9.345-2005

Impreso en Hurope, S.L.
Lima, 3 bis – 08030 Barcelona

Impreso en España – *Printed in Spain*

Índice

Agradecimientos

Gracias, como siempre, a Bobby Cerini, Janet, Kate, Sarah Holper y Ian Grant por sus extraordinaria contribución a este libro, y también a Gabrielle Bonney, nuestra editora en ABC Books por no considerar nuestras ideas excesivamente «descabelladas» para su publicación.

Inventos apasionantes y patentes alucinantes

Vivimos en un mundo apasionante. Cada día un científico o inventor, en algún lugar del mundo, realiza otro extraordinario descubrimiento, desarrolla un asombroso invento o concibe una idea increíble en la que nadie antes había pensado.

Para evitar que otros se adueñen de una idea nueva, a menudo los inventores registran una patente, un documento oficial emitido por un gobierno en el que se indica que durante un determinado número de años sólo el inventor estará autorizado a desarrollar y comercializar su invento.

Se patentan una infinidad de ideas, aunque la mayoría de ellas no consiguen llegar a los estantes de una tienda. Los siguientes inventos e ideas, que muchos de nosotros hubiéramos deseado concebir, figuran en los registros de patentes.

Los enigmas del teclado

Este libro contiene alrededor de 20.000 palabras, y por término medio, cada palabra tiene cinco letras, lo cual significa que hemos pulsado 100.000 teclas para completarlo. Cada pulsación desplaza la tecla aproximadamente 3 mm, de manera que en la redacción de *Ciencia extravagante* hemos alcanzado una «profundidad» total de 300 m (profundidad de tecla, claro está).

¿Se podría utilizar de alguna forma útil este desplazamiento, además de producir una fantástica literatura? Compaq, la compañía de ordenadores, cree que sí. Han patentado un teclado que transforma los movimientos de pulsación en energía que recarga la batería del portátil. El eje de cada tecla está provisto de un diminuto imán que se desplaza a través de un resorte de cable eléctrico cuando se pulsa, generando minúsculos flujos eléctricos en el cable y carga la batería. Cuanto más se teclea, más tiempo dura la batería del ordenador.

Se acabó el «síndrome del minino»

¡Uf! ¡Por fin! Has terminado el trabajo. Un ensayo de cientos de miles de palabras sobre la formación del universo. Tanta investigación, tantas palabras increíblemente largas, tantas teorías difíciles de explicar... ¡se acabó! Te diriges a la cocina para tomar un tentempié.

De vuelta al escritorio sólo queda imprimir el ensayo, y luego... ¡la noche es joven! Pero... ¡Ahhh! ¡Nooo! *Jinx*, tu mimoso gatito, ha decidido sentarse en el teclado, acurrucarse y dormir. Tu magna obra se ha convertido en un «adhrpaihthksdlañjhdjkñañdihfn» indescifrable. Todo lo demás ha desaparecido de la pantalla, y lo peor es que olvidaste el *back-up*.

¡Impensable! Pues bien, unos programadores informáticos de Arizona intuyeron que el «síndrome del minino» podía llegar a ser una realidad, e inventaron el software Pawsense, que detecta pulsaciones aleatorias, tales como las de *Jinx* en tu procesador de textos. Cuando eso ocurre, el ordenador se bloquea y emite un pitido que asusta al felino, que pone pies en polvorosa. ¡Se acabaron los problemas!

Vídeo-cepillo

Los cepillos de dientes se fabrican en una amplísima gama de colores y tamaños. Incluso los hay eléctricos, que se encargan de hacer todo el trabajo. Ahora, una compañía japonesa de electrónica ha decidido fabricar un cepillo realmente sofisticado, que ha patentado como «vídeo-cepillo de dientes».

Dispone de una diminuta cámara en la base de las cerdas, y mientras te lavas los dientes, puedes ver un primerísimo plano de la boca en la pantalla del televisor, lo cual, según asegura la empresa, facilita la eliminación de los residuos de comida atrapados en los lugares más inaccesibles de la boca. Esto es así, claro está, si consigues distinguirlos entre tanto burbujeo dentífrico.

Abre la boca..., no dolerá

Según algunos investigadores norteamericanos, es posible que en su día los dentistas pierdan su negocio en pro de un tratamiento asombroso de limpieza bucal.

El profesor Jeffrey Hillman de la Universidad de Florida ha alterado genéticamente la bacteria responsable de la caries dental. Este organismo, llamado *Streptococcus mutans*, vive en la boca y transforma el azúcar en ácido láctico, que ataca la placa dental y la horada.

La modificación genética de la bacteria y de otros organismos se realiza alterando su DNA, el material genético responsable de las características y el comportamiento de las células de que constan todos los seres vivos.

Hillman ha alterado el *Streptococcus mutans* en otra

forma bacteriana que no produce ácido láctico, evitando así la descomposición dental. Sus experimentos demuestran que una vez en la boca, sustituye completamente esta bacteria tan perjudicial. Una instilación en la boca de la nueva bacteria amiga evita la caries durante toda la vida, y si con el tiempo se consigue eliminarla de la placa (la película dura y amarillenta que reviste la dentición y es la responsable de innumerables infecciones en las encías), ¡tal vez no tengas que lavarte nunca más los dientes!

¡Salva el mundo con tu PC!

Curar el cáncer, solucionar los perniciosos efectos del cambio climático, descubrir vida extraterrestre. Cualquiera de estas gestas te haría famoso. Pues bien, gracias a una extraordinaria idea de conexión de ordenadores en todo el mundo, ahora tienes la oportunidad de aportar tu granito de arena.

En mayo de 1999 los usuarios informáticos empezaron a conectar sus ordenadores personales al proyecto Search for Extraterrestrial Intelligence (SETI). Científicos del SETI desarrollaron un salvapantallas especial que analiza señales de radio procedentes del espacio cuando el ordenador no está en uso, enviando los resultados al SETI a través de Internet. En la actualidad existe una red de millones de personas que facilitan análisis que un solo equipo tardaría miles de años en realizar.

Más tarde, en abril de 2001, la Universidad de Oxford, en Inglaterra, lanzó un proyecto similar para investigar el cáncer. Al igual que SETI@home, su software de salvapantallas trabaja durante los períodos de inactividad del PC, rastreando sustancias químicas en busca de propiedades anticancerígenas. El descubrimiento de sustancias químicas que combatan el cáncer es el primer paso hacia la sintetización de fármacos.

Por el momento, desde el año 2002 la idea se está utilizando para combatir el calentamiento global. Para predecir los cambios climáticos se emplean complicados modelos computerizados de la Tierra, que para determinar la precisión de las predicciones deberían aplicarse centenares de miles de veces de una forma ligeramente diferente en cada una de ellas. Se tardaría miles de años en hacerlo con los ordenadores actuales, de manera que la UK Meteorological Office ha diseñado un software similar al SETI@home para implantar modelos en miles y miles de PC que envían los resultados a un ordenador central. Cuando sepamos cómo cambiará el clima en el futuro, podremos adoptar las medidas adecuadas para afrontar esos cambios o incluso reducirlos.

Sólo utilizamos una quinta parte de la potencia disponible en nuestros ordenadores, de manera que estos proyectos aprovechan el poder inexplorado en los equipos de todo el mundo. Puedes participar en la búsqueda de vida alienígena con el SETI en:

www.setiathome.ssl.berkeley.edu

y también puedes contribuir a la curación del cáncer en:
www.ud.com/cust_part/customers/feat_project.htm
o a la predicción de los cambios climáticos en:
www.climateprediction.com

Quién sabe, tal vez tu contribución informática pueda ayudar a encontrar la respuesta.

La camiseta más cara del mundo

La compañía italiana diseñadora de moda Corpo Nove ha inventado una nueva camiseta. El prototipo se ha fabricado sólo en gris metalizado, pero los costes para la firma se elevan a 7.000 dólares.

No necesita planchado. Desde luego, son innumerables las camisetas que no lo necesitan. ¿Cómo se justifica pues su coste? Veamos. ¿Cuántas camisetas conoces que enrollen automáticamente las mangas cuando hace calor? El modelo de Corpo Nove está fabricado con un material entretejido

de nailon y una sustancia llamada «nitinol aleación», cuyas fibras «recuerdan» su forma. Si las calientas después de haberse arrugado, recupera la forma original.

Un portavoz de la compañía explica que para conseguirlo necesitas pasarle un secador para el pelo, de manera que puedes «plancharla» mientras la llevas puesta. El tejido de las mangas está programado para contraerse con el calor. ¡Ya puedes empezar a trabajar como un esclavo si quieres comprarte una!

Lluvia de gelatina

Los eventos deportivos pasados por agua pueden perderse en el olvido si la firma norteamericana Dyn-O-Mat se sale con la suya. Ha creado un polvo capaz de disipar las nubes.

Dyn-O-Mat admite haber utilizado con éxito el polvo durante un experimento en Florida. Un avión militar esparció 4 toneladas de esta sustancia en una nube de tormenta. Peter Cordani, gerente de la empresa, dijo que había recibido llamadas de una torre meteorológica próxima y de una estación de noticias de TV asegurando que habían visto cómo una nube desaparecía literalmente de los radares.

Cada gramo de polvo puede absorber 2 kg de agua. Los granos de polvo tienen la forma de un copo de avena y se desplazan aleatoriamente en el interior de la nube absorbiéndola y transformándose en un gel inocuo que se precipita al suelo.

Dyn-O-Mat cree que su polvo puede incluso reducir la energía de los ciclones tropicales, atenuando su fuerza y salvando vidas.

Cambiando de interlocutor

Paolo Rais, ingeniero suizo, estaba en un convite nupcial. Deseaba hablar con una persona sentada en el otro extremo de la mesa. Lo más lógico hubiera sido levantarse y cambiar de silla. Pero Rais decidió enfocar este dilema con tecnología.

Ha construido una mesa rectangular de dieciocho asientos con sillas móviles. Una cadena conectada a un motor eléctrico oculto debajo de ella acciona las sillas. De este modo, te puedes mover lentamente alrededor de la mesa mientras comes, sin pasar más de diez minutos sentado frente a la misma persona.

Las sillas se desplazan a una velocidad de 9 cm por minuto. ¡Nada de mareos ni vértigos! ¡Por cierto!, para no «cambiar de plato» cada vez que cambias de posición y seguir comiendo del plato del vecino, otra cadena tira de una bandeja de madera que adapta su movimiento al del asiento.

Cómo apagar la sed por ordenador

El ser humano lleva siglos bebiendo en recipientes de cristal. Ahora, científicos de Mitsubishi Electric Research Laboratories, en Estados Unidos, se han propuesto reactualizarlo y adaptarlo al siglo XXI.

Han fabricado un vaso con un microchip idéntico al que se usa en los ordenadores. En el fondo han instalado una diminuta y fina antena metálica y han revestido el lateral con un finísimo film transparente que conduce la electricidad. ¡Y ya está! Vasos «inteligentes» que se pueden utilizar en bares y restaurantes. ¡Saben cuándo están vacíos!

Al beber, el líquido contenido en el vaso, cuyo nivel desciende poco a poco, genera una carga eléctrica que se acumula en el film. Cuanto menor es la cantidad de líquido, mayor es la carga transportada hasta el microchip. Cuando éste recibe una carga «completa», significa que el vaso está vacío, enviando a continuación una señal a través de la antena. El camarero sabe entonces que debe llenarlo de nuevo. Al igual que un teléfono móvil, cada vaso dispone de un código de identificación propio.

El sistema iGlassware envía la señal de «vaso vacío» a un monitor situado detrás de la barra del bar o a dispositivos *palmtop* que llevan consigo los camareros, y se basa en la tecnología de identificación de frecuencia que se usa para detener a los ladronzuelos en las tiendas. Los investigadores confían en que muy pronto podrán brindar por el invento con distintas bebidas... sin levantarse de su asiento.

Una idea con ruedas

¿Alguna vez se te ha ocurrido algo que te parecía tan original que has tenido el convencimiento de que nadie antes podía haber pensado en ello? Éste fue el caso del abogado australiano John Keogh al patentar un «dispositivo circular de transporte» en el año 2001, cuando en realidad, lo que acababa de registrar ya existía desde hacía miles de años: lo que la gente suele denominar «rueda».

Keogh aprovechó la patente de la rueda para demostrar la existencia de lagunas en las leyes de patentes australianas. Hasta hace poco tiempo, las patentes no habían sido investigadas por un abogado con cualificación de ingeniero o científico, pero los cambios en la ley han hecho que una patente sea más fácil y económica de obtener sin la intermediación de un letrado.

En el caso de que estuvieras considerando la posibilidad de patentar otras brillantes ideas, como por ejemplo un instrumento que permita ver a través de las paredes (lo podrías llamar «ventana») o un proceso para la combustión y reducción de materiales («fuego», ¿te suena de algo?), la ley australiana dice que para obtener una patente hay que declarar que se es un inventor, y si no es cierto, como lo fue desgraciadamente en el caso de Keogh, la patente no es válida.

Inventos casuales y descubrimientos fascinantes

Para ser un inventor se necesita perseverancia y tiempo, optimismo y originalidad, inteligencia e independencia. Aunque bien pensado, todo esto se puede sustituir en ocasiones por... ¡un poquito de suerte!

Muchos de los grandes inventos y descubrimientos del mundo se han producido por casualidad, lo cual no significa que los inventores o descubridores no fueran brillantes científicos. En realidad, se necesitan grandes dotes de observación y deducción para darse cuenta de que se acaba de dar con algo asombroso, aunque sólo sea por pura fortuna.

A menudo, los investigadores andan buscando una cosa cuando de pronto encuentran otra. Esta «suerte científica» se llama «serendipia», y es precisamente lo que añade una pizca de emoción a los propósitos científicos. Veamos a continuación algunas de nuestras serendipias y coincidencias científicas favoritas.

El milagro del moho

En 1928, Alexander Fleming, un científico británico que investigaba la gripe, se había marchado de vacaciones, saliendo precipitadamente de su laboratorio sin desinfectar completamente algunas placas de cultivo que contenían bacterias. Al regresar una semana más tarde, advirtió que un poco de moho en una placa había formado una evidente mancha bacteriana. Fleming la reconoció de inmediato. La había visto diez años atrás al caerle una lágrima en una placa de cultivo, matando a la bacteria que estaba observando, y llegando a la conclusión de que el moho producía una sustancia letal para ella, a la que llamó «penicilina», término derivado del nombre científico del moho, *Penicillium notatum*.

Durante el proceso de investigación se había producido una serie de apasionantes coincidencias. De no haber dejado las placas en el portamuestras al marcharse de vacaciones, de no haber olvidado desinfectarlas, si el clima no hubiera sido ideal para el crecimiento de las bacterias y el moho o si no hubiera considerado importante aquella observación, no habría descubierto la penicilina.

Pero Fleming no fue capaz de extraer la penicilina del moho para probarlo como medicina, de manera que publicó los resultados en una revista médica y continuó con nuevos experimentos. Y a fe que el hallazgo hubiera pasado totalmente inadvertido para la comunidad científica de no ser porque, diez años más tarde, otro investigador australiano, Howard Florey, también tuvo un poco de suerte. Florey había formado un equipo de brillantes científicos para buscar sustancias antibacterianas. Un buen día, una vieja revista médica cayó casualmente en manos de uno de ellos, el científico alemán Ernst Chain. ¡Era precisamente la que contenía el artículo de Fleming!

Desde aquel día, la penicilina revolucionó la ciencia médica pues ha luchado contra las infecciones y salvado millones de vidas. ¡Nada mal para un descubrimiento afortunado!

¡Puaj! ¡Una de vómitos!

Científicos británicos han descubierto el vómito más antiguo del mundo, que, en forma fosilizada, se cree que perteneció a un ictiosaurio hace alrededor de 160 millones de años. Los ictiosaurios eran dinosaurios marinos. Su aspecto era similar al de los delfines, aunque con una dentadura muy aguda.

Los científicos lo descubrieron en un terreno arcilloso en Inglaterra. El vómito contenía restos de conchas. Tras haber consumido una ingente cantidad de marisco, regurgitó sus caparazones en forma de bolas, que se fosilizaron en el transcurso de millones de años.

«Creemos que ésta es la primera vez que se ha podido demostrar más allá de cualquier duda razonable la existencia de un vómito fosilizado a gran escala», declaró el geólogo Peter Doyle. «En las conchas, observadas con un po-

tente microscopio electrónico, se han detectado marcas ácidas causadas por los fluidos digestivos del estómago del reptil, demostrando así que habían sido devoradas por un depredador.»

Hoy en día, las ballenas también regurgitan la comida en forma de amasijos indigeribles. Teniendo en cuenta que consumen 1.000 kg de comida al día, ¡estaríamos hablando de un vómito francamente pesado!

Dulce descubrimiento

Ira Remsen y Constantin Fahlberg, dos químicos norteamericanos, estaban estudiando el alquitrán de hulla, un líquido espeso, negro y pegajoso derivado del carbón. Intentaban encontrar nuevas medicinas. Por increíble que pueda parecer, esta sustancia ha sido la fuente de múltiples y muy valiosos compuestos, incluyendo tintes, antisépticos y fármacos.

Un día de 1879, Fahlberg volvió a casa desde su laboratorio y se lavó las manos a conciencia, tal y como solía ha-

cer cada noche. Durante la cena, quedó asombrado por el sabor tan dulce que tenía el pan. Preguntó a la casera, que había cocido el pan, por qué había añadido tanto azúcar a la masa, pero ésta le dijo que no había ni una pizca.

Movido por la curiosidad, el científico se lamió los dedos. Tenían un sabor extraordinariamente dulzón. ¡Y también sus brazos! «Me pregunto si no se me habrá derramado alguna sustancia química que utilizo en mis observaciones con el alquitrán de hulla», pensó. Apresurándose de nuevo a la universidad, probó con cuidado el residuo que había quedado en todos los vasos y platos que había usado, hasta descubrir que uno de ellos tenía un sabor muy dulce. Había descubierto la sacarina, el primer endulzante artificial.

Un gramo de sacarina es tan dulce como 500 g de azúcar. En la actualidad, las personas diabéticas y otras que por prescripción facultativa deben evitar la ingesta de azúcar, suelen utilizarla como endulzante. También se usa en la elaboración de bebidas dietéticas y alimentos bajos en calorías.

¡No lo sueltes!

Sujeta las zapatillas deportivas y algunas prendas de vestir, evita caerse de la tabla de surf e incluso que las herramientas floten en condiciones de baja gravedad a bordo de la Estación Espacial Internacional.

El velcro es un invento basado en una observación casual de la naturaleza. Una tarde de verano de 1941, el ingeniero suizo George de Mestral paseaba por la montaña con su perro. Al llegar a casa, pasó algún tiempo extrayendo docenas de abrojos espinosos de la ropa y el pelo de su Pointer irlandés.

Empezó a preguntarse cómo se las ingeniaban aquellos abrojos para adherirse tan obstinadamente. «Investiguémoslo más detenidamente», se propuso. Cogió el microscopio y observó uno de aquellos abrojos.

Bajo la lente de aumento, descubrió un secreto. Cada abrojo contenía centenares de diminutos ganchos que se adherían al pelo y las prendas de vestir a modo de minúsculos bucles. Éste es un ejemplo de un ingenioso método utilizado por la naturaleza para transportar las semillas a grandes distancias. «Si funciona con una planta, ¿por qué no para la gente?, se preguntó Mestral. Era la persona indicada para concebir ideas de aquel tipo. No en balde, a los doce años, había patentado el diseño de un avión de juguete.

De Mestral empezó a experimentar con algodón, hasta conseguir fabricar pequeños ganchos. Por desgracia, el proceso resultó ser demasiado caro para su producción en masa. Pasaron años, pero finalmente, de Mestral descubrió que podía utilizar nailon para confeccionar ganchos prácticamente indestructibles. Acababa de nacer el velcro.

¿Cuál es el origen del término «velcro»? De Mestral lo acuñó combinando «vel», de *velvet* (terciopelo) y «cro», de la palabra francesa *crochet*, que significa «gancho».

Una anchura inusual

Los cohetes propulsores de la Lanzadera Espacial norteamericana se construyen en Utah y se transportan hasta el centro de lanzamiento, en Florida, por ferrocarril. En Estados Unidos, las vías férreas tienen una anchura de 1,4 m, una medida realmente inusual que hay que tener en cuenta a la hora de diseñar los cohetes. Pero ¿a qué se debe esta medida tan extraña en el ancho de vía de aquel país?

Los trenes se desarrollaron en Inglaterra antes que en Estados Unidos, de manera que los ingenieros norteamericanos empezaron a construir vías con equipo de origen inglés. Los trenes ingleses utilizaban un ancho de vía de 1,4 m, el establecido por George Stephenson, el inventor de la primera locomotora, que tomó prestada la medida de la distancia entre las ruedas de los carros tirados por caballos en las áreas rurales de Inglaterra. ¿Por qué diseñar un vagón de otro tamaño para los trenes cuando podía aprovechar el de los carros?

Por su parte, la distancia entre las ruedas de los carros tirados por caballos era una consecuencia de los diseños de carros más antiguos, adaptados a las rodadas de los caminos que, muchísimo tiempo atrás, habían dejado marcadas los carros romanos, teniendo en cuenta que éstos habían sido diseñados para ajustarse a un tiro de dos caballos.

Es una interesante coincidencia que la anchura de los cohetes que propulsan a los astronautas al espacio esté relacionada con la de los carros que utilizaban los soldados romanos para ir a la guerra, concretamente la anchura equivalente a... ¡dos traseros de caballo!

Una tarta en el cielo

En la década de 1870, William Frisbie, un pastelero de Connecticut, tuvo una brillante idea: grabar su nombre en la base de los moldes de estaño de las tartas. De este modo, cuando alguien terminaba de comerse una, podía recordar quién había sido el artista pastelero que la había elaborado. E incluso mejor, la gente reutilizaría los moldes para hornear sus propias tartas y caería en la cuenta de lo fatigoso que resultaba elaborarlas en casa y lo fácil que era encargarlas en la pastelería.

Este truco de marketing funcionó a la perfección, o quién sabe, tal vez se debiera sencillamente a que las tartas de Frisbie eran deliciosas. Pero lo cierto es que al poco tiempo, se vendían en todo el estado. Con tanta tarta yendo de acá para allá, era inevitable que un buen día alguien acabara encontrando otro uso para los moldes de Frisbie. En efecto, eran ideales para jugar con los amigos, haciéndolos volar por los aires, una actividad que enseguida se hizo muy popular, sobre todo entre los estudiantes de algunas universidades, como Yale.

Años después, en la década de 1940, Fred Morrison, ebanista californiano y entusiasta del juego, diseñó un disco volador. En un viaje promocional, el presidente de la compañía que fabricaba aquellos Pluto Platters, que es como habían sido bautizados, visitó Yale y fue testigo de la auténtica «locura» del disco volador, intuyendo además que «Frisbie» podía ser un nombre mucho más atractivo para sus productos.

Fue una buena decisión. Se llevan vendidos más de cien millones de Frisbees en todo el mundo, y algunos incluso se lo han tomado muy en serio, organizando competiciones internacionales tales como la World Flying Disc.

Y ahora un reto para ti. Intenta batir el récord mundial de distancia en categoría femenina conseguida por Anni Kreml, de San Francisco, que lo lanzó a 136 m en Colorado, en 1994, o de 211 m si prefieres desafiar el de Scott Stokely en categoría masculina, también norteamericano.

Teorías extrañas y observaciones excéntricas

La exploración y el descubrimiento científicos se basan en un simple principio: buscar la respuesta a una pregunta. En ocasiones, la respuesta puede ser extraña e inesperada, aunque la pregunta puede ser, de por sí, igualmente rocambolesca. Los científicos y otros investigadores han enunciado interesantes teorías y realizado observaciones para aportar más luz a este extrañísimo mundo que nos rodea.

La Antártida en un vaso

El hielo de la Antártida contiene el 70% del agua dulce del planeta. De ahí que un grupo de científicos en una conferencia internacional celebrada en 1977 examinaran la posibilidad de transportar los icebergs hasta los países que sufren sequías. En Australia, decían, se podría utilizar el agua de la Antártida, y en otros países el de Groenlandia.

En la década de 1970, el coste del petróleo necesario para transportar el hielo era demasiado elevado, pero los avances tecnológicos en el siglo XXI y el aumento del consumo de agua por una creciente población mundial han llevado a los científicos a considerar seriamente aquella idea.

Investigadores alemanes han realizado algunos experimentos, envolviendo pequeños icebergs antárticos en bolsas de plástico reforzadas, sugiriendo el aprovechamiento de las corrientes oceánicas para transportarlos hasta los países cálidos y secos, donde el hielo se fundiría en el agua potable. En el Hemisferio Norte, un empresario canadiense ya está vendiendo botellas de esta mezcla de agua, y algunos científicos aseguran que se podría suministrar a Australia en las próximas décadas.

El suministro de agua potable no ha sido la primera idea que se ha concebido para utilizar los gigantescos témpanos de hielo. Durante la Segunda Guerra Mundial, a los británicos se les ocurrió la posibilidad de construir aviones insumergibles cortando las puntas de los icebergs para fabricar pistas de aterrizaje.

El chiste más divertido del mundo

Un psicólogo británico ha descubierto que los chistes... ¡hacen reír! El Dr. Richard Wiseman invitó a un grupo de personas de todo el mundo a publicar chistes en su página Web «Laughlab», o laboratorio de la risa (www.laughlab.co.uk) y a puntuar los de los demás. Meses más tarde, más de cien mil personas de setenta países habían enviado 250.000 chistes.

El estudio demostró que a los hombres y mujeres les gustan diferentes tipos de chistes. Los hombres puntuaron los relacionados con las connotaciones agresivas y sexuales, mientras que las mujeres preferían los juegos de palabras. Al puntuar los chistes en el «risómetro» de Laughlab, los alemanes los calificaron como divertidos casi en su totalidad. Los británicos prefieren chistes diferentes a los franceses, cuyo humor es más cínico. En cualquier caso, el chiste siguiente fue puntuado como el más humorístico casi por la mitad de todos los votantes:

Sherlock Holmes y el Dr. Watson fueron de camping, instalaron la tienda y se acostaron. A medianoche Holmes despertó a Watson. «Watson, mira las estrellas y dime qué deduces.» Watson dijo: «Veo millones de estrellas, y si algunas de ellas tienen planetas, es probable que sean parecidos a la Tierra. Por lo tanto, deduzco que puede haber vida allí afuera». Holmes replicó: «No Watson, eres un bobalicón; ¡alguien nos ha robado la tienda!».

Pero ¿quién necesita chistes?

Un chiste tal vez no sea la mejor manera de hacer reír a la gente. En 1998, investigadores médicos de la Universidad de California descubrieron que estimular una región situada

en la parte frontal izquierda del cerebro producía una risa incontrolable. Utilizaron corrientes eléctricas para estudiar a una chica de dieciséis años que sufría epilepsia crónica. Un flujo de bajo voltaje la hacía sonreír, mientras que los voltajes más elevados le provocaban una risa espontánea.

Tres años más tarde, los científicos determinaron el área del cerebro que se activaba al contar un chiste realmente bueno. El «punto divertido» es una región del córtex cerebral que controla funciones de capacidad mental tales como el lenguaje. Para localizarla, contaron varios chistes a individuos mientras les realizaban un escáner cerebral.

¡Manos arriba marcianos!

El ser humano siempre anda en busca de vida extraterrestre, e incluso ha llegado a asegurar que ha visto visitantes del espacio exterior aquí en la Tierra. Pero ¿no podríamos ser nosotros los alienígenas?

La astrónoma Chandra Wickramasinghe cree haber encontrado la prueba de que somos descendientes de extraterrestres que llegaron a la Tierra hace millones de años. Según dice, en la superficie de los cometas viven bacterias alienígenas, y cuando el sol funde el hielo de los cometas, las libera, y algunas de ellas entran en la atmósfera terrestre.

Wickramasinghe, que desarrolló su teoría con el difunto científico y escritor Fred Hoyle, lanzó un aerostato de investigación desde India en el año 2001 para recoger muestras de aire, y encontró bacterias esparcidas por la atmósfera, algunas de ellas viviendo a más de 40 km de altitud. Afirma que la única forma de que grandes cantidades de bacterias alcancen semejante altitud es a causa de una erupción volcánica, en cuyo caso morirían por el calor, o bien precipitándose desde el espacio. Wickramasinghe ha calculado que aproximadamente 100 toneladas de bacterias extraterrestres caen a la Tierra cada día.

Es posible que bacterias entraran en la atmósfera de nuestro planeta en sus etapas de formación y consolidación como consecuencia de la colisión de innumerables cometas en la superficie terrestre, generando la primera forma de vida. También podría darse el caso de que hubieran viajado hasta la Tierra procedentes de otro planeta, transportadas con un meteorito. Luego, en el transcurso de millones de años, habrían evolucionado hasta convertirse en formas de vida más complejas, que finalmente desembocaron en el ser humano.

Nada como el hogar

¿Quieres ir a un lugar en el que nadie haya estado antes? O tal vez algún día tengamos que abandonar este planeta y buscar otro nuevo y habitable? Cualquiera que sea la razón, los científicos llevan años y años intentando encontrar un nuevo planeta en el que poder vivir y transformarlo para que se asemeje en lo posible al nuestro.

El proceso de cambio del clima y el entorno global de otro planeta para propiciar la vida se conoce como «*terraforming*», que significa crear un planeta igual a la Tierra.

Marte es el mejor candidato, ya que está más cerca de nosotros que los demás planetas y tiene un entorno medioambiental que dispone de innumerables ingredientes necesarios para llevar a la práctica aquel proceso. Pero por el momento, las temperaturas nocturnas en Marte de –100 °C son disuasorias, violentas tormentas azotan el planeta y lo envuelven en mares de polvo, y la ausencia de atmósfera llevaría a la sangre a una temperatura de ebullición. Sin embargo, Marte podría convertirse en un lugar más hospitalario si construyéramos fábricas capaces de bombear gases al espacio para conseguir una atmósfera más rala y cálida en la que el hielo se fundiría en forma de agua y las plantas podrían crecer para transformar el dióxido de carbono en oxígeno.

Partiendo de esta base, el inventor británico Andrew Pike ha solicitado la patente de una sonda espacial que transporta una especie de gelatina compuesta de algas, dióxido de carbono, dióxido de azufre y semillas de plantas. Las algas suministrarían nutrientes a las plantas, que a su vez producirían alimento para ellas y liberarían oxígeno en

la atmósfera, el que tal vez podríamos aprovechar cuando llegáramos allí siglos más tarde. Pero en la actualidad, los costes del «*terraforming*», sin mencionar los asombrosos avances en ingeniería necesarios para hacer realidad este sueño, están fuera de nuestro alcance. En cualquier caso, hay quien opina que no deberíamos viajar por el universo modificando planetas y convirtiéndolos en clones de la Tierra en nuestro provecho si ello significa destruir formas primitivas de vida alienígena en el proceso.

Conscientes de esta realidad, los científicos están buscando otros planetas que ya se parezcan al nuestro. Desde el descubrimiento del primer planeta fuera del sistema solar en 1995, se han localizado docenas de ellos, aunque aún queda por averiguar si hay agua líquida en su superficie, si tienen la gravedad suficiente para evitar que flotemos en el espacio y si disponen de la mezcla correcta de gases para respirar. Curiosamente, los científicos llaman a este posible planeta «Ricitos de Oro».

Hacia un clima más frío

Un equipo de astrónomos norteamericanos está investigando cómo solucionar un problema futuro..., muy futuro.

Tal vez sepas y tal vez no que dentro de miles de millones de años el sol será muchísimo más caliente que hoy. En alrededor de mil millones de años, su brillo habrá aumentado un 10%, y en consecuencia la Tierra será más caliente. Dentro de tres mil quinientos millones de años, nuestro sol será un 40% más brillante que hoy, en cuyo caso la vida en la Tierra podría ser imposible.

La solución, dicen los astrónomos, consiste en desplazar el planeta, alejándolo del sol. Si fuera posible derivarlo hasta una órbita más grande, la vida en la Tierra podría prolongarse durante miles de millones de años.. La energía necesaria para mover el planeta se podría obtener consiguiendo que un asteroide de 100 km de diámetro pasara repetidamente cerca del mismo, desplazándolo a una órbita ligeramente exterior a cada paso.

Ya utilizamos una técnica similar para propulsar satélites y otras naves en el espacio exterior, haciéndolos orbitar alrededor de la Tierra, cada vez a una mayor distancia, hasta penetrar en el espacio, algo así como un lanzador de disco girando sobre sí mismo para alcanzar la máxima distancia.

Tras millones de órbitas del asteroide «cautivo», la Tierra podría desplazarse alrededor de 65 millones de kilómetros, lo suficiente para prolongar su fecha de «caducidad» en cinco mil millones de años, un período de tiempo suficiente para que la humanidad consiguiera al fin encontrar un nuevo hogar.

El aullido de las plantas

Cuando te asustas, chillas. Ralph Gäbler, de la Universidad de Bonn, en Alemania, ha descubierto que las plantas también «chillan» en situaciones de estrés. Para demostrarlo utilizó un sensor fotoacústico para medir las emisiones de

etileno, un gas que liberan cuando están demasiado frías, demasiado secas, estropeadas o enfermas. El sensor usa señales eléctricas para traducir en sonido la cantidad de gas emitido. Cuanto mayor es la concentración de etileno, más fuerte es el sonido. Al cortar una hoja de orquídea, Gäbler pudo comprobar que la planta liberaba este gas y el sensor producía un chirrido desgarrador.

También detectó un efecto similar al infectar un pepino con moho. Asimismo, ha detectado chillidos en cestas de fruta; la emanación de gas etileno de las manzanas hacía que las bananas maduraran y se amarronaran más deprisa.

Pero Gäbler, a quien sus colegas llaman «El Susurrador de las Plantas», no cree que los activistas de los derechos de los animales presten atención a las plantas. Pero lo cierto es que sus investigaciones sustituyen a otros métodos anteriores e invasivos de medición del estrés en las especies vegetales, que consistían en cortar una parte de la planta. Actualmente, los científicos sólo necesitan un sensor situado cerca de ellas para cuantificar sus emisiones de etileno.

Gäbler asegura que las investigaciones realizadas en los últimos años han demostrado que las plantas usan otros gases para comunicarse entre sí. «Las emisiones de etileno constituyen el punto de partida de la conversación entre las plantas, algo parecido al timbre de un teléfono —dice—. Por el momento no podemos comprender este tipo de conversación, pero por lo menos podemos escucharlo.»

Polución

La polución del aire está causada sólo por los automóviles y fábricas, ¿verdad? Pues no, tu propio jardín podría formar parte de tan desastroso problema. Científicos de CSIRO y de la Monash University han descubierto que el césped y los prados liberan ingentes cantidades de gases contaminantes en la atmósfera.

Segar el césped o cortar la hierba no hace sino empeorar aún más las cosas. Cuando la hoja de la segadora rebana una brizna de hierba, la planta genera de inmediato una gran cantidad de gases, alrededor de cien veces mayor que de costumbre. Algunos de ellos tienen una agradable fragancia, como el olor fresco del césped recién segado. Según dicen los científicos, estos gases son antibióticos naturales que desinfectan la «herida» causada por la segadora, previniendo infecciones y enfermedades. Pero también contaminan el aire, pues son similares en su reacción química a los humos de escape de los coches.

La hierba no es la única planta que contamina. «La calima azul que a menudo se puede ver en los Dandenongs, en Victoria, y las Blue Mountains en Nueva Gales del Sur, en Australia, está causada por los gases emanados por el árbol del caucho —explica Ian Galbally, de CSIRO— al mezclarse con el *smog* de las grandes ciudades.»

Basta caminar sobre la hierba para dañarla y provocar la emanación de gases. ¡Tal vez podríamos concluir que los letreros de «No pisar la hierba» protegen realmente la atmósfera!

Peces en Kakadú

Hace algunos años, un equipo de científicos que trabajaban en el Parque Nacional Kakadú, en los Territorios del Norte de Australia, se alarmaron al encontrar miles de peces muertos en una ensenada de aguas estancadas de un arroyo. Tomaron muestras de agua y las analizaron en el laboratorio para averiguar cuál era el origen del problema. No tardaron en descubrir que el agua del arroyo era muy ácida. La pregunta era: ¿de dónde procedía todo aquel ácido?, pues no había ninguna fábrica en las proximidades de la que emanaran contaminantes.

Durante los tres años siguientes recogieron agua de lluvia para comprobar si el ácido procedía de la atmósfera en forma de lluvia ácida. Algunas muestras eran increíblemente ácidas, e incluso utilizaron un avión para recoger gotitas de agua de las nubes para examinarlas más detenidamente.

Por fin, los científicos llegaron a la conclusión de que el ácido lo liberaban en el aire las hojas de plantas tropicales en aquella región. Las plantas y los incendios de arbustos y praderas eran las razones de la lluvia ácida.

Más tarde descubrieron que los peces habían muerto envenenados por agentes químicos naturales presentes en el suelo próximo al arroyo. Pero a fin de cuentas, fue su muerte lo que los alertó de la lluvia extremadamente ácida causada por emisiones de las plantas.

Ositos de peluche

¿Cómo? ¿Los ositos de peluche están prohibidos en la sala de espera de las consultas médicas? ¡Oh no! Pero si en realidad son los que hacen un poquito más llevadera a los niños la visita al médico... Pues bien, según algunos especialistas de la sanidad de Nueva Zelanda, los ositos de peluche podrían propagar infecciones a niños ya enfermos.

Los especialistas experimentaron con juguetes de seis consultas médicas y descubrieron que algunos de ellos cons-

tituyen un peligro para la salud infantil. Su informe, publicado en el *British Journal of General Practice*, demostraba que el 90% de los juguetes examinados contenían contaminantes bacterianos en un grado de moderado a elevado.

Los niños enfermos de algo tan simple como un resfriado común o diarrea transmiten sus gérmenes a los ositos al manipularlos y llevárselos a la boca. El niño que juega con ellos a continuación puede contraer fácilmente la enfermedad, de manera que cuando llegan a la consulta su estado se ha agravado.

Los investigadores también descubrieron que los ositos de peluche son difíciles de lavar, y que se contaminan de nuevo rápidamente una vez limpios. Por el contrario, los juguetes duros son mucho más fáciles de limpiar, y la probabilidad de ser portadores de gérmenes, mucho menor.

Ian Thorpe hace olas

El famoso nadador australiano Ian Thorpe ha establecido el récord del mundo en estilo libre en 200, 400 y 800 metros. En menos de tres años se hizo con dieciséis récords individuales. Su vitrina está atestada de medallas de oro de los Juegos Olímpicos y de los de la Commonwealth, así como de innumerables campeonatos del mundo.

Pero ¿cómo se las ingenia para nadar tan deprisa? Bruce Mason, biomecánico que trabaja para el equipo de natación de Australia, dice que Ian es tan rápido que incluso es capaz de hacer surf en las olas que crea en la piscina. Todos los nadadores veloces generan una ola al avanzar en el agua. Sin embargo, Mason cree que Thorpe «produce una ola mucho mayor».

En realidad, al igual que los surfistas, se desplaza sobre la ola y por delante de la misma, y genera una ola de tal magnitud que, según algunos entrenadores, «un surfista podría deslizarse por ella».

Incluso es posible que a medida que siga desarrollándose físicamente, la ola generada delante de él y la que se crea entre las caderas y los pies aumente de tamaño, permitiéndole avanzar a mayor velocidad todavía si cabe.

Aviones

¿Cuántas personas hay en este momento en la Tierra que en realidad no están en la Tierra ni en el agua? Dicho de otro modo, ¿cuántas personas están volando? Desde luego, cada año aumenta el número de pasajeros que utilizan el avión para sus desplazamientos.

Más de mil quinientos millones de personas vuelan en avión cada año, lo que equivale, por término medio, a más de cuatro millones al día. Y también, por término medio, cada una de estas personas pasan alrededor de dos horas en el aire.

Así pues, en estos precisos momentos, más de 360.000 personas (o el 0,006% de la población mundial) está volando, desplazándose a 900 km/h.

Viajar en el tiempo

El primer relato acerca de una máquina del tiempo, *The Clock That Went Backward*, fue publicado por Edward Page Mitchell en 1881, pero fue *The Time Machine*, de H. G. Wells, escrita en 1895, la que realmente despertó el interés por los viajes a través del tiempo. Hoy en día, algunos científicos, a los que se conoce como «físicos teóricos», debaten las posibilidades de hacerlo. ¿Se podría hacer realidad este sueño?

En diciembre de 1999, Neil Johnson, de la Universidad de Oxford, sincronizó dos relojes de alta precisión y luego envió uno a China en un reactor, en un viaje de ida y vuelta. De nuevo el reloj en sus manos, lo comparó con el que ha-

bía guardado en Inglaterra, y descubrió que el que había viajado funcionaba más lento, apenas unas pocas milésimas de segundo. Esto es debido a que el tiempo se ralentizó ligeramente cuando el reloj estaba viajando a gran velocidad. Este efecto se produce de una forma más evidente en el espacio, y los científicos deben tenerlo en cuenta cuando se comunican con los satélites.

Las cosas que viajan a altas velocidades se desplazan más lentamente que las que permanecen inmóviles a causa de la relación entre el espacio, movimiento y tiempo descubierta por Albert Einstein. En consecuencia, si pudieras viajar por el espacio a una velocidad próxima a la de la luz, el tiempo, para ti, discurriría a mayor lentitud que si estuvieras en la Tierra. Al regresar, habrías envejecido menos que los amigos que dejaste atrás.

Ni que decir tiene que hasta la fecha nadie ha conseguido efectuar un viaje de ida y vuelta en el tiempo. Viajar más deprisa que la velocidad de la luz haría que las cosas parecieran avanzar hacia atrás, ¡pero esto significaría tener que superar los 300.000 segundos! Como explicó Einstein en su famosa ecuación, $E = mc^2$, la energía (E) y la masa (m) están relacionadas con la velocidad de la luz (c), lo cual quiere decir que a medida que te aproximaras a esa velocidad empezarían a producirse muchas cosas extrañas: tu masa y el esfuerzo necesarios para acelerar aumentarían, y la energía indispensable para desplazarte a mayor velocidad sería enorme. Así pues, aunque no es imposible, viajar a una velocidad próxima a la de la luz es una mera teoría.

Chicles y más chicles por favor

Dicen algunos investigadores británicos que mascar chicle desarrolla la inteligencia. Ésta fue la conclusión a la que llegaron tras estudiar un grupo de setenta y cinco personas divididas en consumidores y no consumidores de chicle. Ambos grupos se sometieron a un test de 25 minutos; quienes mascaban chicle lo hicieron durante 3 minutos antes de responder a las preguntas.

El test requería recordar palabras e imágenes, además de números de teléfono. Una vez finalizado, el corazón de los «mascadores» mostraba tres latidos más por minuto que no mascadores.

«Hemos descubierto que mascar chicle incide en la memoria» —dijo el Dr. Andrew Scholey, de la Universidad de Northumbria—. Quienes lo hacían recordaban más palabras que los que no mascaban y obtuvieron una puntuación más alta en el test.»

Scholey cree que el mejor rendimiento en el test se debía al aumento del pulso cardíaco y el suministro de insulina al cerebro. En su opinión, el incremento del ritmo cardíaco fomenta el transporte de oxígeno y glucosa hasta el cerebro. «Es sabido que existen receptores de insulina en áreas del cerebro cruciales para el aprendizaje y la memoria.»

¿Sería preferible el chicle de menta que el de fresa u otros sabores? Según los investigadores, no. Una goma de mascar insípida daría idénticos resultados.

1, 1, 1, 1, 1, 1, 1, 1...

11 111 111 x 111 111 111 = 12 345 678 987 654 321

El número resultante del producto se lee igual de izquierda a derecha que de derecha a izquierda. Es un capicúa, o palíndromo. Pero ¿por qué las cifras ascienden hasta llegar a nueve y luego descienden de nuevo hasta el 1?

Consideremos un cálculo mucho más simple: 11 x 11. Para hallar la respuesta (sin calculadora ni ordenador) divide el cálculo en etapas más pequeñas descomponiendo uno de los números en partes igualmente más pequeñas (1 y

10). Así pues, multiplica 11 por 1, que es igual a 11. A continuación multiplica 11 por 10 (igual a 110) y suma los dos números (igual a 121), otro palíndromo ascendente y descendente, pero considerablemente más rápido que el primero.

Avancemos ahora un poquito más y calculemos 111 x 111. Descompón uno de los 111 en partes más pequeñas (1, 10 y 100), multiplica 111 por 1 (igual a 111), 111 por 10 (igual a 1.110) y 111 por 100 (igual a 11 100). Súmalo y te dará 12 321.

La pauta parece ser la siguiente:
11 x 11 = 121
111 x 111 = 12 321
1111 x 1111 = 1 234 321
11 111 x 11 111 = 123 454 321
111 111 x 111 111 = 12 345 654 321
1 111 111 x 1 111 111 = 1 234 567 654 321
111 111 111 x 111 111 111 = 12 345 657 967 654 321

¿Comprendes ahora por qué algunas personas opinan que las matemáticas son una forma de arte?

Experimentos estrambóticos y científicos extraordinarios

Existe un sinfín de científicos extraordinarios en el mundo, ¡e incluso muchas más personas a las que les entusiasma realizar experimentos estrambóticos!

¿Es un pájaro? ¿Es un avión? Pues no, ¡es una tapa de alcantarilla!

El 4 de octubre de 1957, la Unión Soviética lanzó al espacio una esfera metálica de 60 cm de diámetro. Era el Sputnik 1, el primer satélite lanzado desde la Tierra. Orbitó alrededor del planeta durante algunos meses antes de desintegrarse al reentrar en la atmósfera. Muy a pesar de Estados Unidos, la Unión Soviética les había batido en la carrera espacial. Pero ¿en realidad lo hicieron?

Durante la década de 1950, científicos norteamericanos experimentaron con innumerables armas nucleares, efectuando explosiones controladas en algunos archipiélagos del Pacífico y en regiones remotas del país. La gente empezó a preocuparse por los efectos de todas aquellas partículas radiactivas dispersas en el aire. Finalmente, optaron por las detonaciones subterráneas para que escapara una menor cantidad de radiación.

En julio de 1957, el astrofísico Robert Brownlee y su equipo efectuaron la primera prueba subterránea, introduciendo una bomba nuclear de 30 kg en el fondo de un pozo de 148 m de profundidad en el desierto de Nevada, que posteriormente se selló con una plancha maciza de acero de 10 cm de espesor.

Los resultados no fueron los previstos. La explosión fue muchísimo más poderosa de lo que habían calculado. «Un fuego azulado ascendió hasta varios kilómetros», recuerda Brownlee. Con un estruendoso rugido, la plancha salió brutalmente despedida. «Nunca la encontramos. Se fue», dijo. Cámaras de alta velocidad registraron imágenes de la plancha elevándose en el cielo. Brownlee estima que voló a 240.000 km/h, seis veces más que la velocidad necesaria para escapar de la gravedad terrestre.

Años más tarde, en una entrevista concedida a una revista, Brownlee dijo que nunca había discutido públicamente la aseveración de que los soviéticos habían lanzado el primer satélite de la historia, ¡aunque confesaba tener sus dudas!

El cerebro y el fitness

¿Deseas mejorar tu forma física y desarrollar una musculatura más poderosa sin tener que pasar largas horas en el gimnasio o haciendo *jogging*? Un científico de Ohio, Estados Unidos, te da una buena noticia.

Guang Yue ha descubierto que no hace falta hacer ejercicio físico para desarrollar los músculos. Basta pensar en ello.

Para verificar esta teoría, Yue y sus colegas pidieron a diez voluntarios que imaginaran que estaban haciendo flexiones con los músculos de un brazo cinco veces por semana. Se trataba de imaginarlo sin que en realidad movieran el bíceps. Sólo pensarlo.

Transcurridas algunas semanas, los investigadores midieron la fuerza muscular de los voluntarios. ¿El resultado?

Un 13% aumentó su fuerza. Al parecer, en opinión de los científicos, los impulsos eléctricos transmitidos a sus bíceps fueron suficientes para desarrollarlos.

Así pues, si has leído hasta aquí, ¿por qué no se sientas cómodamente en el sofá o en la cama y piensas en un par de horas de *jogging*?

Un paso de gigante para la humanidad

¿Qué ocurriría si un millón de personas dieran un salto al mismo tiempo? Esto es precisamente lo que quiso saber Bobby Cerini en su campaña Science Year, en el Reino Unido.

Nadie antes había intentado realizar tan colosal experimento, de manera que era imposible predecir su resultado. Muchos escolares a los que sugirió que realizaran una redacción sobre el tema dijeron que la gente podía caerse y que los mares rugirían; que provocaría terremotos y tsunamis, o, más catastróficamente, que la Tierra se partiría en dos o escaparía de su órbita. Otros en cambio pensaron que nada iba a suceder.

Exactamente a las 11 de la mañana del 7 de septiembre de 2001, casi un millón de personas en el Reino Unido saltaron durante un minuto para verificar sus predicciones. La tierra tembló, una infinidad de vasos vibraron, y los sismógrafos (un equipo que mide con precisión los movimientos sísmicos) registraron ligeras alteraciones en la lectura.

Sin embargo, el «seísmo» fue equivalente a 1/100 del rumor de un terremoto. No hubo movimientos sísmicos en las profundidades de la Tierra más allá del lugar de los saltos, y al igual que las olas en un estanque se desvanecen a medida que se alejan del punto de impacto de una piedra,

las vibraciones de alta velocidad de los saltos fueron absorbidas rápidamente por la Tierra, disipándose antes de que pudieran acumularse con nuevas vibraciones.

En cualquier caso, sí se «rompieron» un par de cosas: ¡récords del mundo! Según el Libro Guinness de los Récords, aquel salto había sido el más grande jamás registrado y en el que habían participado un mayor número de personas en un intento por batir un récord mundial.

De vacaciones al espacio

¿Te gustaría viajar al espacio pero no puedes gastar los 40 millones de dólares pagados por el primer turista espacial del mundo, Dennis Tito, por la estancia de una semana en la Estación Espacial Internacional? En tal caso, el Cosmopolis XXI será lo que tanto has estado esperando. Por sólo 200.000 dólares podrás disfrutar de un vuelo de una hora en esta lanzadera del tamaño aproximado de una furgoneta propulsada por un cohete. La nave ascenderá hasta una altitud de 20 km, es decir, alrededor del doble de la de crucero de los aviones comerciales. Luego, la lanzadera será impulsada hasta alcanzar una altitud máxima en el espacio de 100 km. El arriesgado turista de a bordo experimentará tres minutos de ingravidez durante el vuelo. Una hora más tarde, la lanzadera regresará a la Tierra, descendiendo con un paracaídas o aterrizando como cualquier aeronave estándar.

La lanzadera es un proyecto conjunto de la compañía norteamericana Space Adventures y el Myasishchev Design Bureau ruso. Con un peso aproximado de tres toneladas, la nave llevará a bordo un piloto y dos pasajeros. Antes del viaje deberás someterte a un entrenamiento de cuatro días, incluyendo la gravedad cero y los vuelos a gran altitud.

El inicio de los vuelos regulares estaba previsto para el año 2004.

Clima musical

Marty Quinn es un científico norteamericano interesado en la climatología mundial. También le apasiona la música, lo cual no tiene nada de asombroso; a la mayoría de la gente le gusta. Pero Quinn ha hecho algo que nadie antes había intentado realizar: combinar su pasión por la ciencia con su amor por la música para diseñar The Climate Symphony. Para ello, transformó un registro de fluctuaciones de temperatura de la Tierra de 110.000 años en una maravillosa pieza musical.

Gracias a un equipo de científicos que perforaron un pozo de 2.960 m de profundidad en el hielo de Groenlandia, en la década de 1990, sabemos perfectamente cómo fue el clima de nuestro planeta en el pasado. El hielo en el fondo de este hoyo de extraordinaria profundidad se formó a partir de copos de nieve que cayeron hace 110.000 años. Los investigadores pudieron deducir la climatología de aquel período analizando las sustancias químicas presentes en los diferentes estratos del hielo.

Quinn «compuso» su obra sinfónica a partir de este registro y empezando en aquel remoto año. A medida que la pieza avanza en el tiempo, interpreta los períodos cálidos con notas graves, y las eras glaciales con notas agudas. Las pulsaciones de contrabajo representan pequeñas erupciones volcánicas; y los timbales a gran volumen, las erupciones potentes. También se incluye en el pentagrama el lento cambio en la inclinación del eje terrestre producido a lo largo de miles de años.

Si quieres oír The Climate Symphony, entre en:
www.nh.ultranet.com/~mwcquinn/icecore.html.

Volando en «globos»

Larry Walters, conductor de camión de California, había soñado a menudo con volar en un globo meteorológico. Un día de 1982 decidió construir su propia máquina volante. Para ello ató 45 globos inflados con gas helio a una silla de jardín de aluminio, sujeta a tierra con cuerdas. Luego se puso un paracaídas y se montó en la silla, provisto de una radio portátil, una cámara fotográfica y un refresco.

Mientras seis amigos sujetaban las cuerdas, empezó a ascender lentamente. Por fin lo soltaron, y muy pronto Walters se encontró a 500 m de altitud. Hacía frío, empezó a sentirse entumecido e hizo estallar algunos globos para detener el ascenso.

Transcurrido algún tiempo, el viento desplazó al atemorizado aventurero directamente hasta la pista de aterrizaje de uno de los aeropuertos de mayor tráfico en el mundo: Los Angeles International, y no tardó en ser descubierto por un par de asombrados pilotos de un avión comercial, que informaron a las autoridades aeroportuarias de su increíble avistamiento.

Finalmente, la silla volante empezó a descender, quedando enredada en un poste del tendido eléctrico y cortando el suministro a toda el área. Afortunadamente, Walters salió ileso y consiguió bajar sin mayores contratiempos. Tras un vuelo de

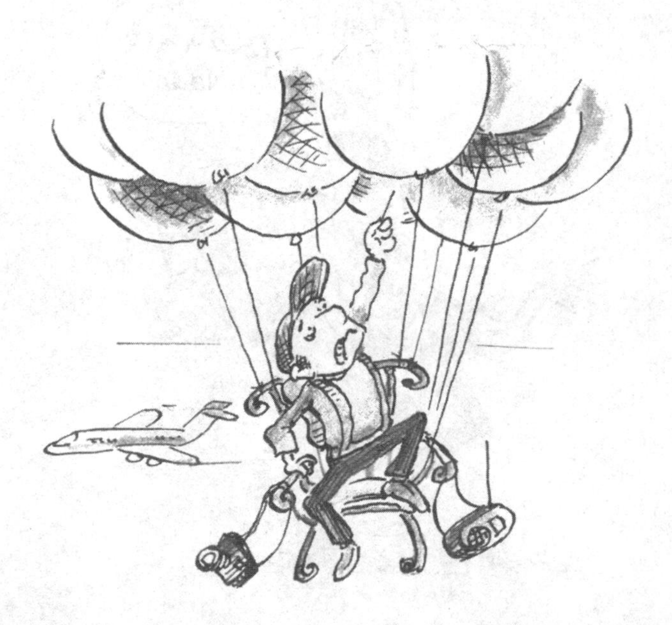

45 minutos, las autoridades de aviación civil lo multaron con 3.000 dólares por haber infringido la Ley de Aviación Federal. Un inspector de seguridad dijo: «Si tuviera licencia de piloto, suspenderíamos la multa. Pero no la tiene».

¡Cuidadito!

Cuando se descubrió por primera vez la enfermedad vCJD, comúnmente conocida como «enfermedad de las vacas locas», el ministro de agricultura británico John Gummer intentó demostrar que comer carne de vacuno era inocuo dando a comer una hamburguesa a su hija, aunque la mayoría de la gente no lo consideró como un acto de coraje. Quizá hubiera tenido que seguir el ejemplo de tres científicos australianos que sí hicieron algo a todas luces osado.

En 1950, investigadores de CSIRO, en Australia, descubrieron un virus llamado «mixomatosis», que fue comerciali-

zado para matar conejos. En tres años, la población de este animal en el sudeste del país había caído en picado, pero desafortunadamente, un brote casual de encefalitis, aparecido al mismo tiempo, causó centenares de enfermos y provocó la muerte a varios niños. No tardó en extenderse el rumor entre los residentes locales de que la culpa había sido de la mixomatosis.

Para refutar tales afirmaciones, Ian Clunies Ross, Frank Macfarlane Burnet y Frank Fenner se inyectaron públicamente una cantidad suficiente de virus para matar a mil conejos. Ni que decir tiene que habían estudiado en profundidad la enfermedad y sabían perfectamente que nada iba a ocurrirles. No obstante, el suceso despertó el interés de innumerables periodistas, fotógrafos y cámaras de televisión, que registraron imágenes del mismo, esperando comprobar si aquellos conejitos de indias humanos enfermaban. No fue así, lo cual tranquilizó a la ciudadanía. La mixomatosis no se propagaba a la especia humana.

Ley de Newton: nunca confíes en un libro de texto

¿Puedes creer que todo cuanto estás leyendo en *Ciencia extravagante* es cierto? En nuestra opinión, sí. Pero según dice un profesor de física de universidad, doce de los libros de texto científicos más populares utilizados por las universidades de Estados Unidos correspondientes están plagados de errores.

«Ninguno de ellos tiene un nivel aceptable de precisión», manifestó John Hubisz, que realizó un estudio-sondeo durante dos años publicado en el año 2001. Hubisz y su equipo contabilizaron una lista de quinientos errores, entre los cuales se incluían mapas con el ecuador desplazado miles de kilómetros de su posición real, un diagrama que mostraba un haz de luz pasando a través de un prisma de una forma incorrecta y una fotografía de la cantante Linda Ronstadt etiquetada como... ¡cristal de silicona! También había experimentos que era imposible que dieran resultado e ilustraciones que representaban situaciones incoherentes. Incluso en uno de los manuales se cita mal la primera ley del movimiento de Newton.

El profesor estimó que alrededor del 85% de los niños norteamericanos utilizan libros de texto que describe como «horribles». El equipo de investigación, en el que figuraban profesores de escuela y catedráticos, alertaron a las editoriales acerca de las erratas en sus libros de ciencia, algunas de las cuales prometieron corregirlos en nuevas ediciones. Pero cuando los científicos leyeron los nuevos textos... ¡encontraron más errores que correcciones!

Animales increíbles

El mundo es realmente un lugar apasionante, e incluso más cuando observas la forma en la que han evolucionado los animales para sacar el máximo partido de su entorno.

El puzle del ornitorrinco

¿Un animal con pico de pato, cola de nutria, pelaje impermeable y pies palmeados? ¿Un mamífero cuya hembra pone huevos y el macho está provisto de púas venenosas en las patas? ¡Seguramente pertenece al capítulo «Bromas geniales» de este libro y no a éste!

Esto fue lo que pensaron los responsables del Museo Británico cuando un equipo de exploradores lo enviaron desde Australia a finales de la década de 1700: ¡un camelo! Sospecharon que un ingenioso taxidermista había «cosido» partes de distintas especies para volverlos locos. Sólo cuando empezaron a llegar más ejemplares, acabaron llegando a la conclusión de que el ornitorrinco, tal como todo el mundo sabe, era real.

Pero las asombrosas características de este animal no son sólo aparentes. Es capaz de contener la respiración durante un minuto, y nada con los ojos, los oídos y las fosas nasales cerrados. Con los ojos cerrados no puede ver a su presa, de manera que utiliza sensores situados en el pico que detectan las señales eléctricas emitidas por los músculos de pequeños langostinos, peces, ranas y lombrices. Come aproximadamente su propio peso en alimentos cada día. La picadura del ornitorrinco macho es dolorosa, y el veneno, para el que no existe antídoto, causa una inflamación y puede paralizar las extremidades de la víctima.

Estos increíbles animales viven entre quince y veinte años en los cursos fluviales no contaminados del este de Australia, desde Tasmania hasta el norte de Queensland.

El «culito» del río

Las tortugas nadan normalmente y de vez en cuando asoman la nariz a la superficie cuando necesitan respirar. Sin embargo, la tortuga australiana Fitzroy River es capaz de permanecer sumergida durante tres días, una técnica realmente provechosa, ya que este río, que desagua en una bahía próxima a Rockhampton, en Queensland, constituye el hábitat de una infinidad de cocodrilos de agua dulce. La tortuga bombea agua a través del ano, cuyos vasos sanguíneos absorben oxígeno. De este modo, puede permanecer debajo del agua y a salvo de los terribles aligatores hasta un máximo de tres días.

Las mortíferas medusas cazan en grupo

Recientemente se ha podido comprobar que la criatura más venenosa del mundo, la avispa de mar, caza en grupo. Científicos de la Universidad James Cook, en el norte de Queensland, han estado estudiando estos misteriosos depredadores, y han observado que parecían cooperar con otras de su misma especie para dar caza a su presa.

La avispa de mar es la responsable de la muerte de setenta personas en los últimos cincuenta años en las costas del norte de Australia. A menos que provengas de una familia de tortugas, que se alimentan de medusas y no se ven afectadas por su aguijón, es mejor que te mantengas a distancia de ellas. La avispa de mar está provista de cincuenta tentáculos que disponen de células tóxicas que provocan un terrible dolor y que incluso pueden provocar la muerte.

Entre noviembre y mayo, cuando la avispa de mar impone su ley en el litoral desde Exmouth hasta Gladstone, es aconsejable no nadar en mar abierto y hacerlo dentro de las zonas protegidas con malla. En cualquier caso, si te roza alguna, echa vinagre en abundancia para desactivar la acción de las células tóxicas y dirígete de inmediato a un hospital.

El veneno de la avispa de mar es extraordinariamente poderoso, pues necesita matar instantáneamente a su presa para evitar que su cuerpo gelatinoso se desmenuce como resultado de los tirones del pez. Tras dar muerte a su «tentempié», la medusa lo introduce en su estómago con la ayuda de los tentáculos que rodean la boca. Luego se vuelve del revés para permitir que la gravedad haga el resto.

La avispa de mar tiene doce ojos: tres a cada lado de su cuerpo en forma de caja. Uno de ellos suele mirar el estómago, y los otros dos a su alrededor. Pero los científicos no saben cómo procesa las imágenes recibidas por sus múltiples ojos, ya que... ¡las medusas no tienen cerebro!

Un celacanto anclado en el tiempo

Los fósiles del celacanto, también conocido como pez de las islas Comodoro, muestran un pez que vivió hace 400 millones de años, cuando los dinosaurios poblaban la Tierra. Sus aletas parecen extremidades, y los científicos creían que había sido el primer pez que salió del agua para evolucionar en una criatura terrestre: reptiles, mamíferos y finalmente humanos. El celacanto mide casi 2 m de longitud, tiene escamas azuladas, ojos brillantes y una extraña «cola de bebé» apenas desarrollada. Los fósiles del celacanto desaparecieron hace alrededor de 70 millones de años, coincidiendo, según los investigadores, con la última gran extinción de los grandes saurios.

No se supo nada más hasta 1938, cuando uno de ellos quedó atrapado en las redes de un pescador en Sudáfrica. El asombroso descubrimiento de un celacanto que había muerto recientemente hizo que los científicos se afanaran en encontrar otro ejemplar. Transcurrieron catorce años antes de poder dar con el paradero de un segundo pez, que también había muerto recientemente, y no fue hasta 1987 cuando se consiguió fotografiar por primera vez un celacanto vivo. En 1998 se localizó un segundo grupo de estos animales en Indonesia.

Considerado como un fósil vivo, el celacanto evitó el contacto con el hombre a causa de su hábitat, situado en aguas oceánicas profundas, entre 150 y 300 m. En cualquier caso, es muy posible que hubiera deseado seguir eternamente oculto, ya que en la actualidad son innumerables los peces de esta especie que quedan atrapados en los sedales de los pescadores en el Índico oriental, lo cual podría provocar de nuevo su extinción... esta vez real.

Verde y azul (¿envidia?, ¿melancolía tal vez?

Cuando estás avergonzado, te ruborizas; enferma y tu piel adquirirá una tonalidad más pálida; y después de un día tomando el sol, estarás bronceado. Pero ¿puedes imaginar un cambio de color instantáneo para adaptarte al entorno o de una tonalidad azulada para expresar tu estado de ánimo?

La mayoría de los animales son coloreados para camuflarse en el entorno que los rodea y poder así alimentarse... ¡en lugar de convertirse en alimento! Unos cuantos afortunados son capaces de cambiar su coloración y adoptar la misma de su entorno. Así por ejemplo, el zorro ártico tiene un pelaje oscuro en verano para camuflarse con su hábitat, seco y amarronado, pero en invierno desarrolla un pelo blanco que le permite pasar desapercibido en la nieve.

Los camaleones son un tipo de reptiles con pigmentos en el cuerpo similares a los que nos broncean en los meses veraniegos, con la diferencia de que sus células pigmentadas son más versátiles y pueden adquirir distintos colores a voluntad. Estos animales cambian de coloración abriendo o cerrando células para dirigir la luz solar a diferentes pigmentos en su piel, reflejando así tonalidades igualmente diversas. Abriendo unas cuantas células para mostrar pigmentos de un color y cerrando otras para ocultar los de otro color, el camaleón es capaz de alterar completamente el cromatismo de su cuerpo. En ocasiones, se transforma a modo de camuflaje para demostrar enojo o para dar una cálida bienvenida a su pareja.

Zarigüeyas mascota y adorables marsupiales

Es muy importante salvar la vida salvaje nativa de todo el mundo y, en consecuencia, también la de Australia. ¿Qué te parecería tener a un animalito nativo en casa?

Según el Dr. Michael Archer, deberíamos olvidarnos de los habituales perros y gatos y empezar a pensar en los animales nativos. Ninguno de los animales que el hombre ha adoptado como mascota se ha extinguido jamás, de manera que sería una excelente idea introducir las especies en peligro en el hogar familiar para asegurar su supervivencia.

Archer dice que los marsupiales *Dasyurus maculatus*, las pequeñas zarigüeyas y los roedores originarios de Australia son animales de compañía ideales, pues son cariñosos, limpios y muy amistosos con el ser humano. Con un canguro en el jardín, el césped siempre estaría segado, e incluso podrías sustituir a tu perro guardián por un diablo de Tasmania.

Archer compartió su apartamento con uno de esos marsupiales. Estaba mucho más limpio que con un gato y era tan divertido como un peluche. Los marsupiales duermen de día, de manera que cuando Archer regresaba del trabajo por la noche, encontraba a un animalito dispuesto a jugar. Estos animalitos cazan ratones; así pues, no hace falta un gato para tales menesteres. Compartía el apartamento con una ardilla voladora muy sociable, de vientre amarillo, y un wambergen (especie de hámster) que se pasaba todo el santo día corriendo por una rueda parecida a un barrilete de circo.

Sin embargo, en la mayoría de los estados australianos la ley prohíbe tener animales nativos en cautividad, excep-

tuando los parques zoológicos o con propósitos de investigación. Entretanto, Archer espera que las técnicas de clonación «resuciten» a los extintos tilacino, o tigre de Tasmania. El último ejemplar desapareció en la década de 1930.

Aterrorizado por un rugido con sordina

El sonido más aterrador sería aquel que no podrías oír jamás, como en el caso del profundo gemido «con sordina» de los ciervos instantes antes de morir. Por su parte, el rugido grave de un tigre hambriento es capaz de aturdir y paralizar a la presa.

«Desquicia los nervios de la gente y la aturde porque es muy rápido. Apenas dura una décima de segundo —dice la Dra. Elizabeth von Muggenthaler, de Fauna Communication Research Institute, en Carolina del Norte (Estados Unidos)—. Es como una fuerza increíble abalanzándose hacia ti. Al rugir, los tigres suelen moverse a una extraordinaria velocidad,

saltando desde el lugar en el que están agazapados. Emprender la huida es imposible; estás pegado al suelo y eres incapaz de dar un paso.»

Von Muggenthaler cree que los animales quedan paralizados por el rugido de un tigre a causa de las bajas frecuencias y la potencia del sonido. El tigre no es el único animal capaz de producir sonidos más profundos de los que puede percibir el oído humano. Ballenas, elefantes y rinocerontes también lo hacen. El rugido le sirve asimismo al tigre para comunicarse, pues recorre grandes distancias, penetrando en espesas junglas e incluso atravesando montañas.

El mar: el secreto de la longevidad

Excava un poco en la tierra del jardín y es muy probable que encuentres una lombriz. Si cavas con la pala en el lugar equivocado, podrías encontrar sólo la mitad de la lombriz, y si no la entierras de nuevo de inmediato, no tardará en convertirse en alimento para algún pajarillo hambriento. Ser una lombriz de tierra puede ser muy duro. Por el contrario, la vida de sus parientes lejanos, las lombrices tubulares que habitan en las profundidades marinas, es mucho más fácil. Tanto que, en realidad, pueden vivir doscientos cincuenta años.

Los oceanógrafos han descubierto las lombrices más viejas del mundo, de dos metros de longitud, a 500 m bajo el nivel del mar, en el golfo de México. Se alimentan de sulfuros y otros nutrientes que absorben en el cauce oceánico, procedentes de la corteza terrestre. Es posible que estos animales sean tan longevos debido a que los fluidos sulfurosos emanan del fondo marino ininterrumpidamente año tras año, creando un entorno muy estable.

Para estudiar el crecimiento de las lombrices tubulares,

los científicos utilizaron un submarino especialmente diseñado para grandes profundidades. Pintaron algunos ejemplares con tinte azul, y un año más tarde, se sumergieron de nuevo para medir el crecimiento de su cuerpo. Los anillos en el cuerpo indicaban su edad.

El profesor Charles Fisher, de la Penn State University, en Estados Unidos, dice que algunas lombrices marinas pueden vivir doscientos cincuenta años. «Los ejemplares que hemos recogido miden mucho más de dos metros, pero sabemos que éste es el mínimo estimado y que algunos de ellos viven muchísimo más.»

La ciencia que crece en ti

El ser humano es el animal más asombroso del mundo, y nada es más apasionante que aprender cosas acerca de los increíbles animales que viven dentro o fuera de nosotros.

Existe un vasto número de microscópicos microbios con los que convivimos en casa. Algunos de ellos pasan toda su vida en nuestra piel, y otros la atraviesan. Tenemos microbios en cada poro de la piel, ojos, oídos, fosas nasales, estómago e intestinos.

Los científicos han contabilizado 80 organismos diferentes en la boca, y han calculado que en cada centímetro cuadrado de piel residen hasta diez millones de bacterias, aunque esto no es nada comparado con nuestro interior, donde en el mismo espacio se pueden encontrar hasta 10.000 millones de organismos.

Si pudiéramos «envasar» a todos estas minúsculas criaturas que viven en casa, ocuparían un volumen de 300 ml, ¡casi el de una lata de refresco! ¿Cuántas especies de «gorreros» o «bolseros» crees que habitan en tu cuerpo? Probablemente más de doscientas.

No se trata únicamente de microbios; los piojos y las

pulgas, entre otros diminutos insectos también sienten un «amor» muy especial por el ser humano. Por desgracia, no son sólo los animalitos pequeños los que nos consideran atractivos, sino también una amplia gama de lombrices. Una de ellas, la tenia, o solitaria, puede alcanzar 20 metros en el interior del intestino humano. Otro, el *hookworm*, lo perfora y penetra en el torrente sanguíneo.

Palabras descabelladas

La ciencia está llena de palabras especiales. Coge por ejemplo la tabla periódica, una lista de todos los elementos químicos conocidos que constituyen las piedras angulares de todos los compuestos en nuestro planeta. Fue toda una hazaña ordenarlos en una tabla, aunque algunos términos son realmente estrambóticos. Y con más de cien elementos diferentes, ¡imagina la cantidad de combinaciones que se pueden realizar!

Cada combinación tiene su propio nombre, y no es pues de extrañar que algunos de ellos (bueno, en realidad, montones de ellos) sean bastante divertidos.

Somos conscientes de que jamás se te ocurriría poner en tela de juicio lo que te contamos en este libro, pero aunque te parezca increíble, todos los términos que se citan son genuinos y se han utilizado en prestigiosas revistas científicas. La mayoría de ellos también se pueden encontrar en la Enciclopedia Británica. Aun así, seguimos pensando que son auténticas chaladuras.

Curiosidades químicas

adamantano Componente del petróleo.

ácido angélico Defensa química que utilizan algunos escarabajos. Su nombre deriva de la angélica, una planta.

apatita Fosfato mineral que se emplea como fertilizante. A las plantas les encanta.

crocidolita Un tipo de asbesto.

einstenio ¿De qué otro modo podrías llamar a un elemento que honra el nombre del famoso científico?

megáfono Nombre de un compuesto formado por raíces de *Aniba megaphylla* y una cetona.

ácido morónico Se encuentra en la resina de los anacardos.

munchnonas	Moléculas de forma anular cuyo nombre deriva de la ciudad de Munich. Existen compuestos similares llamados sydnonas, en honor de Sidney.
neptunio	Elemento 93 de la tabla periódica.
parisita	Mineral que se encuentra en Colombia.
protactinio	Elemento 91 de la tabla periódica.
ramnosa	Tipo de azúcar.
unununio	Elemento 111 de la tabla periódica cuyo nombre deriva del de un científico.
uranato	Derivado del óxido de uranio.
vomicina	Sustancia tóxica derivada de la *nux vomica*, la semilla de un árbol que vive en el sudeste asiático.
yterbio	Elemento 70 de la tabla periódica.

Teraflop

¿Cuántos *flops* puede realizar tu ordenador? Un flop es el término técnico que indica la velocidad con la que un ordenador puede realizar cálculos. Deriva de «FLoating OPerations». Los primeros ordenadores apenas podían efectuar unos pocos flops por segundo, pero hoy en día, su velocidad se mide en gigaflops, teraflops y petaflops. Un petaflop equivale a 1 cuadrillón (un 1 seguido de 15 ceros) de cálculos por segundo.

Veamos cuantos flops puedo hacer durmiendo

Ciclones tropicales

Un ciclón tropical cruza una línea costera densamente poblada, destruyendo miles de hogares, dejando atrás centenares de heridos y muertos. ¿El nombre de esta monstruosa amenaza meteorológica? ¡Ciclón Nana...!

En realidad, el ciclón Nana, de tan «mimoso» nombre de pila, no fue tan devastador, pero lo cierto es que existió un ciclón con este nombre, con las trágicas consecuencias que casi siempre suelen acarrear este tipo de fenómenos. Asimismo, han existido otros de denominación igualmente inofensiva tales como el ciclón Bertha, Teddy y Flossie, sin olvidar los Simon y Paul (¡menuda sorpresa para los autores de este libro!). ¿Por qué se bautiza a los ciclones? ¿Significa algo su nombre?

Clement Wraggae, meteorólogo australiano, fue el primero en concebir la idea de dar un nombre a los ciclones, también conocidos como ciclones tropicales, huracanes o tifones. A finales de la década de 1800, Wraggae empezó a asignarles las letras del alfabeto griego, y luego nombres de la mitología griega y romana. Más tarde, se le ocurrió bautizarlos con el nombre de políticos, ¡como una forma de describir «¿Qué va a ocurrir a continuación?», «gira y gira sin parar con un gran estruendo» o «sin rumbo en el Pacífico», algo sin duda acostumbrado en su proceder.

Actualmente, los meteorólogos siguen bautizando a los ciclones para reducir la confusión acerca de qué tormenta se está produciendo (algunas llegan incluso a durar más de una semana) y cuáles son las más peligrosas. Hasta finales de la década de 1970, se les daba nombres de mujer, pero ahora también se utilizan los masculinos. Al primer ciclón del año se le asigna un nombre que empieza por «A», seguido de otro que empieza por «B», etc., alternando los masculinos y femeninos.

En el año 2000, meteorólogos empezaron a bautizar a los ciclones en el Pacífico nororiental con el nombre de flores, aves y otros animales, incluso comidas. Así pues, si oyes hablar del ciclón Pizza, ¡ponte a cubierto!

Antología de «ologías»

Las múltiples disciplinas científicas se dividen en diferentes grupos, muchas de ellas terminadas con el sufijo «-ología». «Ología» procede del término griego «logos», que significa el estudio de algo. Entre algunas de las «-ologías» más comunes que puedes oír figuran la arqueología (el estudio de las civilizaciones antiguas), la biología (el estudio de la vida) y la geología (el estudio de la corteza terrestre).

Pero hay algunas realmente extrañas. Si le añades una «o», obtienes «oología», o estudio de los huevos. «Teutología» suena a algo relacionado con el dentista (la

disciplina correcta es la «odontología»), aunque en realidad se ocupa del estudio de los pulpos y calamares. «Carpología» también suena a algo asociado al estudio de los peces, cuando lo cierto es que se refiere al de los frutos y las semillas. «Nosología» no guarda ninguna relación con el estudio de la nariz (que es la «rinología»), sino con la clasificación de las infecciones. La «Estomatología» trata del estudio de la boca, mientras que del estómago se ocupa la «gastroenterología». La «campanología» analiza el sonido y los estilos de las campanas. La «escatología» es un eufemismo que describe todo cuanto se refiere al estudio de los excrementos o el lenguaje obsceno y la «teratología» estudia los monstruos. Si prefieres una «-ología» más afín a ti, elige la «mi-cología», que estudia los hongos.

Piloerección

El término «piloerección»... ¡asusta! En realidad, sufres una piloerección cuando tienes frío o miedo. El síntoma es una sensación de alfileteo en la piel. El nombre común con el que se conoce esta condición es «carne de gallina», que se produce cuando el cuerpo expande el vello de la piel para retener el calor o dar la impresión de tener un mayor tamaño y disuadir así a los depredadores. Es una característica que se ha conservado desde los tiempos remotos en los que nuestros antepasados tenían el cuerpo cubierto de pelo.

Bromas pesadas

Una broma «pesada» puede ser muy divertida siempre y cuando sea inocua. Es una forma inofensiva de hacer reír, incluso más divertida si cabe si eres tú su destinatario.

El secreto de una buena broma pesada reside en que quien la hace sepa algo que la víctima desconoce. De manera que con un poquito de «conocimiento científico» puedes asegurarte siempre el rol de bromista, no el de víctima.

Humedad detrás de las orejas

«¡Prohibición ya del óxido de dihidrógeno!» Ésta era la exigencia de una noticia que circulaba en Internet en 1994. Esta sustancia química incolora, inodora e insípida mata a miles de personas cada año cuando la inhalan accidentalmente a través de una exposición prolongada a su forma sólida o cuando los adictos a este compuesto sufren un síndrome de abstinencia. Esta terrible sustancia es el componente principal de la lluvia ácida, contribuye al efecto invernadero y causa erosión. A pesar de estos peligros, a menudo se utiliza como retardante de la ignición de un material e incluso como aditivo alimentario. Los gobiernos se niegan a prohibirla, argumentando que se trata de un importante recurso económico.

Y a fe que tienen razón, ya que «óxido de dihidrógeno» (H_2O) es el nombre químico... ¡del agua!

Tras hacer estragos en los internautas, cuatro estudiantes de una universidad norteamericana editaron un folleto con esta noticia en 1997, facilitando un número de teléfono al que podían llamar las personas preocupadas por el asunto para que se analizara el agua que consumían en busca de aquella sustancia, citando el nombre de uno de sus padres como inspector. Al hombre le molestó sobremanera aquella situación, y su familia avisó a la policía. Los cuatro muchachos tuvieron que visitar todas las casas de la región excusándose y explicando a los confusos residentes que el óxido de dihidrógeno era pura agua.

Otra razón más para prestar atención en la clase de química.

El eslabón perdido

En 1912 los noticiarios se hicieron eco del descubrimiento de un fragmento de mandíbula de un cráneo de un remoto antecesor del hombre. Los fósiles de Piltdown Common, en

Sussex, Inglaterra, parecían ser el tan largamente ansiado eslabón perdido en la evolución humana. El Hombre de Piltdown tenía una frente humana y una mandíbula primitiva de simio. Otro cráneo de características similares hallado tres años más tarde en la misma zona parecía confirmar su existencia.

Pero en el transcurso de la década de 1900, nuevos descubrimientos de antiguos fósiles humanos demostraron más claramente cómo los humanos habían evolucionado lentamente hasta su forma actual. La existencia del Hombre de Piltdown no encajaba en aquel proceso. No fue hasta 1953, más de cuarenta años más tarde, cuando se descubrió por primera vez el eslabón perdido y que el Hombre de Piltdown era una broma deliberada. Un nuevo método de datación de huesos permitió concluir que en realidad la mandíbula pertenecía a un orangután, y que el cráneo era de un hombre moderno que vivió en la Edad Media hacía seiscientos años. Los huesos se habían tratado con sustancias químicas para que parecieran mucho más antiguos. Mediante un examen más detenido de los dientes, los científicos advirtieron que no estaban desgastados por la masticación, sino que se observaban marcas de haber sido manipulados con una lima.

Hasta la fecha, la identidad del bromista continúa siendo un misterio. Unos dicen que fue Charles Dawson, aficionado a la geología, quien encontró los huesos; otros echan la culpa a un amigo de Dawson, el cura Pierre Teilhard de Chardin; o tal vez fuera el escritor Sir Arthur Conan Doyle, vecino de Dawson. Otros muchos han sido acusados de semejante «fechoría científica», y quizá nunca lleguemos a saber quién fue en realidad, ya que todos ellos han fallecido.

En cualquier caso, quienquiera que fuera el culpable, seguro que pensarás que el episodio del Hombre de Piltdown nos sirvió para aprender bien la lección. Pues no. En 1999 *National Geographic* publicó un artículo, que más tarde apareció en las prestigiosas revistas *Nature* y *Science*, que hablaba del hallazgo de un asombroso fósil de cuerpo de ave y cola de dinosaurio. La remota criatura parecía por fin ser el eslabón perdido que demostraba que las aves habían evolucionado a partir de los dinosaurios. Pero lo cierto es que aquel eslabón era de «pegamento», no de evolución: a un granjero se le había ocurrido encolar dos fósiles para venderlo a coleccionistas.

Moraleja: cuidado con los resultados que conducen a la fama, cuestiona los conocimientos aceptados y recela de los descubrimientos que confirman una teoría científica con excesiva facilidad. Si alguien dice que eres un piojo... ¡ponlo en cuarentena!

El truco del iceberg

Como ya leíste en «La Antártida en un vaso», en la página 25 de este libro, los científicos han considerado la posibilidad de transportar icebergs desde la Antártida con la finalidad de suministrar agua potable. En 1978, los ciudadanos de Sidney quedaron boquiabiertos al ver un barco en el puerto arrastrando un gigantesco témpano.

Las emisoras de radio aseguraban que el transporte del iceberg en cuestión había sido costeado por el empresario Dick Smith y que formaba parte de una agresiva campaña de marketing. Smith dijo a los anunciantes que lo cortaría en cubitos y que los vendería a 10 centavos.

Miles de curiosos se afanaron por conseguir uno y tener así la satisfacción de enfriar un refresco con hielo antártico. Pero en realidad, el «iceberg» no era sino una enorme barcaza cubierta de planchas de plástico y espuma de extintor. De haber echado un vistazo al calendario antes de tomar en serio aquella ventura habrían comprobado que era... ¡el Día de los Santos Inocentes!

Interrumpimos esta emisión...

Treinta de octubre de 1938. Domingo por la noche. Como de costumbre, a las ocho en punto, seis millones de norteamericanos sintonizaban la radio (recuerda que todavía no se había inventado la televisión) para escuchar un popular programa en el que se recreaban teatralmente textos adaptados de famosas novelas. La dramatización aquella noche era *La guerra de los mundos*, de H.G. Wells.

La obra empieza con música de baile «desde la Meridian Room en el Park Plaza de la ciudad de Nueva York.» A los pocos minutos, la emisión se interrumpe. Un locutor anuncia que se han producido «varias explosiones en el planeta Marte». Poco después, se informa a la audiencia de que «un enorme objeto envuelto en llamas» ha aterrizado en las inmediaciones de una granja en New Jersey. De fondo se oyen chasquidos metálicos y los gritos aterrorizados de una muchedumbre.

«Señoras y caballeros, esto es lo más pavoroso que he visto jamás. Algo que se arrastra está saliendo por la abertura superior. Algo... o alguien. Dos discos luminosos emergen del agujero negro... ¿serán ojos?»

La masiva audiencia radiofónica está paralizada por el horror.

«Algo se mueve en la sombras. Una especie de serpiente. ¡Y ahora otra, y otra más!»

Luego llegan informes de una cruenta batalla en la granja de Wilmuth entre los «invasores de Marte» y «siete mil hombres armados con rifles y revólveres.» Los marcianos ganan; miles de víctimas. La audiencia oye que «las autopistas hacia el norte, sur y oeste están congestionadas a causa de un frenético tráfico humano», mientras la gente intenta huir incontroladamente de los invasores extraterrestres.

Muchos de aquellos seis millones de norteamericanos sintonizaron la emisora minutos más tarde después del inicio del programa y no pudieron escuchar la explicación de que se trataba simplemente de una obra de teatro. El pánico se apoderó de ellos. Creían realmente que los marcianos habían aterrizado en la Tierra. Los motoristas atestaban las calles, la gente se escondía en los sótanos, iban armados e incluso se envolvían la cabeza con toallas húmedas para protegerse del gas tóxico marciano.

Más de diez años después, *La guerra de los mundos* sembró de nuevo el pánico en una emisión radiofónica, esta vez en Quito, Ecuador. Una multitud iracunda rodeó la emisora, reduciéndola a cenizas.

Experimentos y expediciones que acabaron en fracaso

La ciencia no es siempre una empresa exacta y correcta. En ocasiones las cosas salen mal. Después de todo, los científicos son seres humanos susceptibles de equivocarse como cualquiera de nosotros. Los resultados científicos casi nunca son perfectos. Vivimos en un mundo incierto y es difícil demostrar cosas más allá de toda duda.

Los que siguen son algunos experimentos y expediciones trágicos que acabaron en lágrimas... ¡o en risas!

El gato acústico, una catástrofe

Durante las décadas de 1950 y 1960, los gobiernos de Estados Unidos y la Unión Soviética recelaban el uno del otro, enviando espías con regularidad para descubrir secretos militares.

Algunos documentos gubernamentales recientemente publicados revelan un experimento verdaderamente descabellado que intentaron realizar oficiales norteamericanos. Decidieron que una buena forma de «escuchar» a los rusos podría ser instalar un micrófono en un gato. El animal sestearía tranquilamente en el alféizar de las ventanas, en los bancos del parque o hurgaría en los cubos de la basura. Entretanto, el micrófono captaría conversaciones privadas.

El proyecto se bautizó como Gato Acústico, y para asegurarse de que los soviéticos no lo encontrarían, el micro y el transmisor iban cosidos debajo de la piel del desdichado minino. El ex oficial norteamericano Victor Marchetti no se mostró en absoluto impresionado por aquel cruel experimento, que según los rumores, costó más de 20 millones de dólares. «Abrieron el gato, introdujeron las baterías y lo cosieron de nuevo. La cola se utilizaba como antena», recordaba.

Marchetti describió el primer ensayo como un desastre colosal. «Lo llevaron a un parque y lo dejaron salir de la furgoneta... ¡Lo arrolló un taxi! Y allí estaban, sentados en el furgón con todos aquellos diales. Y el gato..., muerto.»

Ni que decir tiene que Estados Unidos decidió recuperar formas más convencionales de espionaje para infiltrarse entre el enemigo.

¿Fuga de cerebros?

A finales del año 2001, científicos británicos creyeron haber detectado signos de encefalopatía espongiforme bovina (EEB) en el cerebro de las ovejas, una pésima noticia, habida cuenta de que la EEB en el cerebro del ganado vacuno había provocado la variante de la enfermedad de Creutzfeldt-Jakob (vCVD, comúnmente conocida como «enfermedad de las vacas locas»), que ya había provocado la muerte de más de cien personas en el Reino Unido y millones de reses sacrificadas en los mataderos. Tras escuchar los resultados de los investigadores, el gobierno británico planificó el sacrificio de todas las ovejas que había en su país en defensa de los intereses de la seguridad pública. Luego, a alguien se le ocurrió realizar un análisis de ADN en el cerebro de los animales, concluyendo que lo que los científicos habían estado examinando era cerebros de vacas, no de ovejas.

Creyeron estar inyectando cerebro de oveja licuado en ratones para averiguar si contenían EEB. La investigación había durado casi cuatro años, con un coste superior a 600.000 dólares. Nadie advirtió el error hasta que el experimento hubo concluido. En resumen, que los resultados eran inútiles.

El error parece haber ocurrido a causa de un simple intercambio. Dos investigadores cogieron las muestras equivocadas del frigorífico, o tal vez se cambiaron las etiquetas. Pero lo cierto es que no existe ninguna evidencia clara de cómo aconteció. Los científicos echan la culpa al gobierno, y éste a los científicos.

Quizá sería conveniente realizar un simple test antes de iniciar un experimento en el futuro. ¡Si el animal emite un «muuu», es una vaca, y si hace «beee», una oveja!

La tragedia de Burke y Wills

En 1861 Robert O'Hara Burke, William John Wil, Charlie Gray y John King se convirtieron en los primeros exploradores que cruzaban Australia de sur a norte. Además de reivindicar las dos mil libras esterlinas por su gesta, la expedición confiaba en poder descubrir nuevos pastos, recoger información acerca de la orografía y clima australianos, y buscar un mar interior. Pero sólo uno de ellos consiguió sobrevivir.

Un calor insoportable, terribles tormentas y un relieve accidentado impidieron su regreso a casa. Gray enfermó y murió, y después de enterrarlo, los demás exploradores estaban tan débiles y hambrientos que tuvieron que descansar un día antes de continuar. Finalmente llegaron a su punto de reunión en Coopers Creek, pero les aguardaba una pésima noticia: los miembros restantes del equipo, que habían esperado su regreso durante cuatro meses, había partido ocho horas antes.

Antes de hacerlo, grabaron un mensaje en un árbol: tres pasos en dirección noroeste y cavad. Siguieron sus instrucciones y encontraron algunas vituallas. Comieron, descansaron y luego se encaminaron hacia una estancia situada a 240 km de distancia.

Pero Alexander Brahe, uno de los miembros del equipo que había dejado provisiones, decidió volver para comprobar si Burke y Wills habían regresado. Al llegar al árbol, no advirtió que sus compañeros habían dado buena cuenta de las provisiones y supuso que habían muerto, regresando a Melbourne.

Entretanto, Burke, Wills y King, completamente exhaustos, decidieron volver a Coopers Creek (actualmente el árbol se conoce como Dig Tree) para ser rescatados, pero llegaron demasiado tarde para reunirse con Brahe, que ya había partido. Burke y Wills murieron junto al árbol, pero King sobrevivió gracias a la ayuda de los aborígenes hasta que fue rescatado por un equipo de salvamento.

El Dig Tree, de 250 años de edad, aún se yergue en el terraplén de Coopers Creek.

La gran escapada

En la década de 1990 los científicos estaban investigando un virus letal para erradicar la plaga de conejos que asolaba el continente australiano. Los que habían sobrevivido a la mixomatosis en los años 1950 se habían reproducido y eran inmunes al virus. Urgía encontrar otro nuevo, y la *rabbit calcivirus disease* parecía ser un candidato ideal. Los conejos morían a causa de una insuficiencia cardíaca y pulmonar a los dos días de haberse producido la infección. Pero antes de propagarlo, los investigadores tenían que asegurarse de que no afectaría a otros animales.

Y es aquí donde todo se vino abajo.

En octubre de 1995 el virus escapó de la isla de Wardang, situada frente a la costa del sur de Australia, donde se estaban realizando los ensayos. La mixomatosis también había escapado de un modo similar de la misma isla, pero esta vez los tests se efectuaban en una cámara acorazada sometida a cuarentena y rodeada de dobles tabiques. Los científicos tenían que cambiarse de ropa para pasar de uno a otro. A pesar de ello, el virus se propagó al continente, transportado probablemente por insectos y los fuertes vientos que azotaban la región.

La enfermedad se extendió desde el sur de Australia hasta otros estados, y la venta ilegal de carcasas infectadas por parte de los granjeros, que ansiaban poner fin a tan desastrosa plaga, contribuyó a su rápida propagación. A mediados de 1996, el virus había matado a millones de conejos en todo el país y más tarde aquel mismo año la plaga se dio por erradicada.

En Australia, a diferencia de otros países, el virus no consiguió propagarse a otras especies animales. Asimismo, la rápida propagación de la enfermedad también demostró que era un eficaz exterminador de conejos. Como resultado, la vegetación, devorada anteriormente por los roedores, volvió a desarrollarse en muchas regiones del país. Pero la fuga del virus de su encierro en la isla de Wardang cogió por sorpresa a los exportadores de carne de conejo a otros países y a los fabricantes de sombreros Akubra, confeccionados con piel de este animal, que no habían tenido tiempo de vacunarlos contra la enfermedad. Por otro lado, los conejos desarrollaron una inmunidad, ya que la patología se había propagado antes de que las autoridades pudieran planificar su total exterminio. En los próximos años se necesitará un nuevo virus, aunque es muy posible que los científicos opten esta vez por realizar los ensayos más lejos del continente.

¿Vida en Marte?

Si hubiera vida en cualquier otro lugar de nuestro sistema solar, lo más probable es que fuera en Marte, o por lo menos ésta era la opinión de millones de personas en el siglo XX, que basaban su creencia en los escritos de Percival Lowell, un acaudalado astrónomo norteamericano.

En 1877, su homólogo italiano Giovanni Schiaparelli había descubierto alrededor de cien líneas, a las que llamó *canali* (canales) en la superficie de Marte, y aunque no fue el primero en detectarlas, sus informes despertaron un inusitado interés.

Hoy sabemos que las líneas sólo son ilusiones ópticas causadas por la alineación casual de grandes cráteres. Con todo, al público le fascinaba la idea de que hubiera canales en el planeta rojo.

Lowell se sentía especialmente entusiasmado. Construyó su propio observatorio en Arizona para poder estudiar Marte más detenidamente, y llegó a la «conclusión» de que aquellos canales habían sido excavados por los marcianos para transportar agua desde los casquetes polares. En su libro *Mars*, escrito en 1895, aseguraba «cuán escasa es aparentemente el agua en Marte, tanto que sus habitantes

tenían que irrigar para vivir». Con su planeta seco y deteriorándose a pasos agigantados, los canales representaban la última oportunidad para la supervivencia de los super inteligentes marcianos. A lo largo de los canales, decía Lowell, había vegetación.

En 1965 las teorías de Lowell demostraron ser incorrectas cuando las fotografías tomadas por la sonda espacial Mariner 4 revelaron la inexistencia de canales, y aunque también se equivocó en la predicción de vida marciana, es famoso por su trabajo, que condujo al descubrimiento de Plutón, el planeta más exterior del sistema solar.

Una mancha en psicología

Hermann Rorschach era un psiquiatra suizo que diseñó un sencillo test psicológico que, según decía, podía adivinar muchas cosas acerca de la personalidad, inteligencia y nivel de ansiedad de una persona. El test, utilizado por primera vez en 1921, consistía simplemente en una «mancha» de tinta en una hoja de papel. El lado derecho era una imagen simétrica del lado izquierdo, y había diez diseños diferentes entre los que los psicólogos podían elegir.

Se pide al sujeto sometido al test que observe la mancha y diga lo que ve. La figura podría evocar la imagen de un caballo, un fantasma o un bebé sonriendo. La respuesta se compara con una lista de respuestas típicas que han dado otros individuos, comparando su personalidad con la de aquéllos para averiguar si existe alguna similitud. Un psicólogo que aplique este test podría concluir que una persona que ve animales en movimiento es impulsivo o descuidado, y que quien describe la «negrura» de la mancha podría ser depresivo.

El problema con este método es que una profunda investigación ha demostrado que no es fiable. En muchos casos, sino en todos, dicen los expertos, la evaluación realizada sobre la base de las manchas de tinta es simplista e imprecisa. A pesar de ello, cada año se efectúan millones de tests Rorschach en todo el mundo.

¡No mires abajo!

Los ingenieros que diseñaron el Puente del Milenio, en Londres, habían pensado casi en todo. Los 50 millones de dólares que costaba el puente sobre el río Támesis hacían que pareciera fenomenal; soportaba los embates del viento y acortaba considerablemente el desplazamiento de un lado a otro de la ciudad. Pero en lo que no pensaron fue en que los peatones que lo cruzaban podían bambolearse.

En la semana de su inauguración en junio de 2000, miles de personas cruzaron a pie el puente suspendido. Fuertes vientos hacían que el coloso de 320 m se balanceara ligeramente, pero ya estaba previsto. Lo que resultó ser una sorpresa fue que la gente ajustaba inconscientemente su paso para contrarrestar el balanceo, desplazando todos el pie izquierdo y luego el derecho al mismo tiempo.

Muy pronto, la pauta del paso de la muchedumbre creó una oscilación en forma de «S». El puente se movía como una gigantesca serpiente. Enseguida lo cerraron, y así permaneció durante dieciocho meses, y sólo se abría para instalar contrapesos que eliminaran las vibraciones.

Los ingenieros no tuvieron tanta mala suerte como los que diseñaron el Tacoma Narrows Bridge, en Washington, Estados Unidos. Había supuesto una inversión de 6 millones de dólares y fue apodado Galloping Gertie tras su apertura al tráfico en julio de 1940. Incluso vientos relativamente débiles hacían que el puente (de 1,9 km de longitud), se balanceara, llegando incluso a ondular como una montaña rusa y a moverse de lado a lado.

Después de cuatro meses, fuertes vientos provocaron un bamboleo tan acusado que finalmente se vino abajo. Afortunadamente, sólo circulaba un automóvil en aquel momento. El conductor consiguió salir del coche, arrastrarse por la cuneta de hormigón y ponerse a salvo antes de contemplar cómo el vehículo y toda la sección central del puente se desplomaban 80 m hasta caer al agua.

Frases célebres

En las décadas de 1950 y 1960 se realizaron extraordinarios avances científicos. Los soviéticos y norteamericanos lanzaron satélites y enviaron hombres a la luna, y las compañías de electrónica diseñaron colosales ordenadores e inventaron electrodomésticos que hacían más fácil la vida doméstica. Con toda esta nueva tecnología, la gente empezó a preguntarse cómo sería la vida en el futuro.

En los años 1960 se decía que en el año 2000 todos dispondríamos de un helicóptero personal para los desplazamientos; la comida se vendería en tubos parecidos a los de la pasta dentífrica o en pastillas; y las pantallas de televisión ocuparían un tabique entero de la pared. A decir verdad, algunas predicciones se han hecho realidad, y hay cosas que se han inventado que nadie imaginaba, pero muchas de ellas siguen siendo pura fantasía.

La mejor manera de demostrar la dificultad en la predicción tal vez sea lo que dijo un profesor, en Munich, a un niño de diez años en 1889: «Nunca llegarás a nada». El chico en cuestión se llamaba Albert Einstein.

Nunca conseguiréis que se eleven

«Las máquinas volantes más pesadas que el aire son imposibles.»
El presidente de la Royal Society (Reino Unido), 1895

También en 1895, el gran inventor norteamericano Thomas Edison anunciaba que «las posibilidades de construir un aeroplano viable se han agotado; dediquémonos a otras cosas». Algunos años más tarde, el astrónomo y matemático norteamericano Simon Newcomb afirmó que «volar con máquinas más pesadas que el aire es poco práctico y escasamente significativo, si no completamente inútil».

Poco después, el 17 de diciembre de 1903, Orville Wright realizaba el primer vuelo del mundo en un aeroplano a motor. Fue en Carolina del Norte (Estados Unidos), en un biplano (avión de dos alas) llamado Flyer I.

El desarrollo en la tecnología aeronáutica avanzó rápidamente. En la década de 1930, la compañía Boeing construyó su primer 247, un avión bimotor con capacidad para diez pasajeros. Uno de los ingenieros de la firma estaba par-

Una predicción correcta

ticularmente impresionado: «Nunca se construirá un avión más grande que éste». Las aeronaves comerciales actuales transportan más de 400 personas, y ya se está hablando de nuevos diseños para más de 800 pasajeros.

En 1936, el *New York Times* sostenía: «Un cohete jamás será capaz de salir de la atmósfera terrestre». Veinte años más tarde, la Unión Soviética lanzó al espacio el Sputnik 1, una cápsula de 84 kg de peso que completaba una órbita alrededor de la Tierra cada 96 minutos a una altura media de 600 km.

Más tarde, en 1957, el Dr. Lee De Forest, que inventó el tubo de vacío, el radar, la televisión y los sistemas informáticos, declaró: «El hombre nunca llegará a la luna a pesar de todos los futuros avances científicos». Doce años después: «Éste es un pequeño paso para el hombre, pero un paso de gigante para la humanidad», dijo el astronauta norteamericano Neil Armstrong el 20 de julio de 1969 al descender del módulo lunar Eagle y pisar la polvorienta superficie de la luna.

La televisión no durará

Como ya has comprobado en el apartado anterior, Lee De Forest fue el inventor del tubo de vacío, el componente clave de los primeros equipos de televisión. Esto es lo que dijo el que hoy se conoce como el «abuelo de la televisión» acerca de la aplicación de su invento: «Aunque teórica y técnicamente la televisión es factible, comercial y económicamente es imposible».

Un productor de un estudio cinematográfico norteamericano predijo en 1946 que «La televisión no durará, ya que la gente se aburrirá muy pronto mirando cada noche una caja de madera contrachapada».

Hoy en día, existen casi dos mil millones de televisores en todo el mundo, y más de 10 millones están en Australia.

No hay motivo alguno para que alguien quiera tener un ordenador en casa

En 1946 investigadores de la Universidad de Pennsylvania, en Estados Unidos, construyeron un ordenador electrónico. Se llamaba ENIAC, las siglas de «electronic numerical integrator and computer» (integrador y ordenador numérico electrónico).

Tres años antes, el presidente de IBM, Thomas Watson, había anunciado: «Estoy convencido de que existe un mercado mundial para, digamos, cinco ordenadores». En aquella época, IBM fabricaba máquinas de escribir eléctricas y calculadoras.

En el transcurso de los años 1950 y 1960, las empresas compraron ordenadores para organizar y almacenar información y hacer cálculos, y en la década de 1970 los componentes informáticos eran ya lo bastante pequeños y baratos como para hacer su entrada en el mercado doméstico.

«No hay motivo alguno para que alguien quiera tener un ordenador en casa», dijo Ken Olson, presidente de Digital Equipment Corporation en 1977. Su compañía construía ordenadores para agencias y laboratorios de investigación. Aquel mismo año se lanzó al mercado el Apple II, el primer ordenador personal de producción en masa.

Papel sí, papel no

Periodistas de la revista norteamericana *Business Week* predijeron en 1975 que la tecnología informática eliminaría la necesidad de papel. Tendríamos aulas, oficinas y hogares sin papeles. Lo cierto es que el papel, y su infatigable compañero el lápiz, que en 1938 alguien dijo que quedaría obsoleto, son más populares que nunca.

Tal vez sea la sensación familiar del papel, la facilidad de su lectura en cualquier momento y lugar o la necesidad de verla información en un contexto, pero la verdad es que su estado de salud es inmejorable, aunque eso sí la forma de utilizarlo haya cambiado.

En algunos países occidentales se usan alrededor de 200 kg de papel al año. A nivel mundial, la cantidad de papel utilizado se ha duplicado en los últimos veinticinco años. Sin embargo, la cantidad de información transferida a través de Internet se «duplica» cada año. Así pues, aunque el uso del papel está creciendo, el crecimiento de Internet es mucho mayor. ¿Quiere esto decir que, después de todo, el mundo sin papel llegará a ser una realidad?

Creemos que no, o por lo menos no en la siguiente generación. ¿Que cómo lo sabemos? ¡Echa una ojeada a lo que estás haciendo en este preciso instante!

Los colores del universo

Si miras al cielo por la noche, podrías pensar que es negro, pero a principios del año 2002, los científicos anunciaron que el color predominante en el universo es el verde.

Utilizando información del Anglo-Australian Observatory, en Coonabarabran, Nueva Gales del Sur, los científicos norteamericanos Ivan Baldry y Karl Glazebrook combinaron luz de doscientas mil galaxias. El universo contiene un número infinito de estrellas muy jóvenes y calientes que arden con una tonalidad azul, como el gas de la cocina, además de otras muchas más viejas y frías, que arden en color rojo como una cerilla. Aunque aparentemente la combinación de rojo y azul debería dar violeta, los investigadores aseguraron que combinando todos los colores de la luz estelar del universo se obtiene una tonalidad azulada.

Esto fue así hasta que un científico especializado en espectros cromáticos terció en la cuestión y explicó qué era lo que habían hecho mal. Mark Fairchild, de Munsell Color Science Laboratories, en Nueva York, les dijo que su programa inforo tenía un virus que les había llevado a interpretar erró-mente el color que veían, tornando mucho más rojizas de que deberían ser las tonalidades percibidas por el ojo humano y que, en realidad, el color del universo era mucho más blanco, más parecido al de la cáscara de un huevo.

Aquello hizo que los científicos «enrojecieran» avergonzados ante la necesidad de tener que anunciar al mundo el error cometido.

Desde luego, no existe forma alguna de distinguir ese color desde la Tierra. Para ello deberías poder observar todo el universo desde más allá de la atmósfera. Así pues, no tendremos otro remedio que resignarnos a seguir admirando el cielo negro nocturno salpicado de miles de millones de puntitos brillantes, una vista que tal vez sea muchísimo más hermosa que en beige pálido.

La última palabra

Considerando las falsas predicciones descritas anteriormente, no es de extrañar que Spencer Silver, inventor y fabricante de las blocs de notas autoadhesivos Post-it, dijera: «Si hubiera pensado en ello, no lo habría investigado. La literatura está llena de ejemplos que decían que no se podía hacer tal o cual cosa».

Hemos reservado la palabra final sobre el tema de las predicciones al historiador Henry Adams, Corría el año 1903 cuando anunció: «El mundo llegará a su fin en 1950».

Acerca de los autores

El Dr. Simon Torok es un científico australiano que trabaja actualmente en el Reino Unido como Director de Comunicaciones en el Tyndall Centre for Climate Change Research. Simon es PhD en Ciencias de la Tierra por la Universidad de Melbourne y diplomado en Ciencias de la Comunicación por la Universidad Nacional Australiana. Ha trabajado como editor de *The Helix*, la revista del Double Helix Club de SCIRO, y también en Questacon's Science Circus. Ha intervenido en innumerables programas de radio y ha publicado docenas de artículos en periódicos, revistas y gacetas científicas.

Paul Holper trabaja en CSIRO en desarrollo empresarial. Está doctorado en Química por la Universidad de Melbourne, es diplomado en Educación y también en Ciencias de la Comunicación. Aparece regularmente en los medios para informar de los últimos avances científicos realizados en Australia y ha escrito numerosos artículos en periódicos y revistas, además de cinco libros científicos de texto. Antes de incorporarse a CSIRO, Paul daba clases de química y ciencias en una escuela de secundaria.

Juntos, Paul y Simon son autores de la serie Amazing Science, publicada por ABC Books. Entre otros títulos de esta serie figuran *Ciencia alucinante* (publicada en esta misma colección), *Whiz! Amazing Maths & Science Puzzles* y *Zap! Amazing Science Experiments*.

EL JUEGO DE LA CIENCIA

Títulos publicados:

1. Experimentos sencillos con la naturaleza - *Anthony D. Fredericks*
2. Experimentos sencillos de química - *Louis V. Loeschnig*
3. Experimentos sencillos sobre el espacio y el vuelo - *Louis V. Loeschnig*
4. Experimentos sencillos de geología y biología - *Louis V. Loeschnig*
5. Experimentos sencillos sobre el tiempo - *Muriel Mandell*
6. Experimentos sencillos sobre ilusiones ópticas - *Michael A. DiSpezio*
7. Experimentos sencillos de química en la cocina - *Glen Vecchione*
8. Experimentos sencillos con animales y plantas - *Glen Vecchione*
9. Experimentos sencillos sobre el cielo y la tierra - *Glen Vecchione*
10. Experimentos sencillos con la electricidad - *Glen Vecchione*
11. Experimentos sencillos sobre las leyes de la naturaleza - *Glen Vecchione*
12. Descubre los sentidos - *David Suzuki*
13. Descubre el cuerpo humano - *David Suzuki*
14. Experimentos sencillos con la luz y el sonido - *Glen Vecchione*
15. Descubre el medio ambiente - *David Suzuki*
16. Descubre los insectos - *David Suzuki*
17. Descubre las plantas - *David Suzuki*
18. La ciencia y tú - *Ontario Science Centre*
19. Trucos, juegos y experimentos - *Ontario Science Centre*
20. Ciencia divertida - *Ontario Science Centre*

21. Naturaleza divertida - *Pamela Hickman y la Federation of Ontario Naturalists*

22. La naturaleza y tú - *Pamela Hickman y la Federation of Ontario Naturalists*

23. Ecología divertida - *David Suzuki y Kathy Vanderlinden*

24. Meteorología divertida - *Valerie Wyatt*

25. Experimentos sorprendentes con la luz - *Michael DiSpezio*

26. Experimentos sorprendentes con el sonido - *Michael DiSpezio*

27. Experimentos científicos para niños - *Tom Robinson*

28. Ciencia alucinante - *Simon Torok y Paul Holper*

29. Ciencia extravagante - *Simon Torok y Paul Holper*